COCTEAU – MARAIS

Les Amants terribles

BERTRAND
MEYER-STABLEY

COCTEAU – MARAIS

Les Amants terribles

Pygmalion

Pour ne pas alourdir ce portrait, nous avons décidé de réduire l'appareil de notes au minimum. Le lecteur curieux trouvera plusieurs références en bibliographie. L'auteur se tient à sa disposition pour toute information supplémentaire : bertrand.meyer239@orange.fr

Sur simple demande adressée à
Pygmalion, 87 quai Panhard et Levassor 75647 Paris Cedex 13,
vous recevrez gratuitement notre catalogue
qui vous tiendra au courant de nos dernières publications.

© 2009, Pygmalion, département de Flammarion
ISBN 978-2-7564-0075-4

« *Mettre sa nuit en plein jour, le mystère
en pleine lumière. L'impudeur est notre héroïsme
à nous et l'œuvre d'un homme doit être assez forte
pour qu'on puisse lever le rideau sur ses coulisses.* »

Jean Cocteau

Introduction

COCTEAU-MARAIS, les deux noms sont indissociables. Ils ont construit une œuvre à deux voix où la beauté de l'acteur servit l'éclat de son Pygmalion. Marais inspira Cocteau et Cocteau fit exister Marais. Leur histoire d'amour, passionnée et fructueuse, donna naissance à des livres, pièces et films marquants, tant il est vrai que Jean Cocteau ne pouvait écrire, dessiner et concevoir des films que par amour, avec une telle intensité que sa vie et son œuvre ne peuvent être appréhendées séparément.

Le tandem des Jean. Leurs amis manquèrent de peu de pouvoir jamais s'y reconnaître jusqu'à ce qu'il ait été décidé, une fois pour toutes, que le poète resterait « Jean », tandis que le jeune premier deviendrait « Jeannot ». Le génie de Jean révéla le comédien et son cœur donna au jeune homme l'amour dont il avait besoin. Avec Jeannot, l'enfant terrible, Jean forma le couple mythique *gay* de la beauté et de la poésie. Pour avoir été parmi les premiers à laisser voir la passion d'un homme pour un autre, ils marquèrent les esprits et entrèrent ensemble dans la légende.

Cocteau avec Marais. Marais avec Cocteau : la France porta aux nues leur couple célèbre. L'un proclamé prince des poètes, l'autre acteur le plus populaire de sa génération. Sans que leur histoire d'amour ne soit un obstacle à leur gloire commune.

En bravant les interdits et les ricanements, Cocteau, fasciné par son physique de dieu grec, donna à Jean Marais la dimension d'un jeune premier éblouissant et créa pour son Adonis une œuvre magique. Avec Jeannot, Jean révisa sa vision exprimée dans *Le Potomak* selon laquelle : « L'amour est un ineffable désastre. » En s'aimant corps et âme, ils gagnèrent tous les cœurs.

1

Jeannot

S I JEAN COCTEAU s'appliqua tant à dire que la vérité sortait du mensonge, l'enfance de Jean Villain-Marais fut pleine de trompe-l'œil et de miroirs déformants.

Il naît le 11 décembre 1913 à Cherbourg, ville qu'il ne connaîtra pas. Sa mère, qui a perdu une petite fille, en désire une autre. Elle refuse de voir ce fils pendant quelques jours. Son père part à la guerre lorsqu'il a un an ; à son retour, en 1918, le couple se sépare. Sa mère sera la figure marquante de ses jeunes années. Possessive, parfois méchante, elle cache un lourd secret : un jour, elle s'appelle Marie-Aline, puis Henriette, Rosalie ou Maryse… Jean a une mère fantasque avec qui il rejoue les scènes de Douglas Fairbanks qu'il a vues au cinéma le jeudi. Elle le couvre de cadeaux avant de disparaître, un an parfois. Jean peut lui écrire, mais sans jamais remplir l'enveloppe. Alors, il s'invente des histoires dont elle est l'héroïne. À vingt ans, à la faveur d'un reportage photographique à la prison Saint-Lazare, il découvre la vérité : sa mère est une voleuse [1]. « Je n'ai pas eu honte. J'ai appris à être heureux en la regardant. Je me suis élevé en faisant le contraire d'elle. »

Le théâtre, s'il fut pour Jean Marais une révélation, n'était aussi pour lui, du moins à ses débuts, qu'un pis-aller : dès ses sept ans, alors que sa bonne le conduisait au cinéma, en grand col blanc, cheveux bouclés et stick d'osier, pleurer aux dramatiques aventures de Pearl White ou applaudir les extravagantes exhibitions de Douglas Fairbanks, c'est bien acteur de cinéma qu'il s'était juré de devenir. Et rien ne l'en fit démordre ; alors que son frère, d'une semaine à l'autre, se passionnait successivement pour les professions de chef de gare, de scaphandrier ou d'amiral, Jean ne voulait rien savoir. Il ferait du cinéma ! Cette constance, qui paraissait au début la marque d'un caractère bien trempé, finit, l'âge venant, par alarmer sa mère. Au collège, le futur comédien délaissait paresseusement la chimie et la géographie, dont il n'apercevait pas clairement

---

1. Sa mère, en dehors de son caractère mythomane, souffrait surtout de cleptomanie ; elle eut donc un certain nombre de petits ennuis judiciaires. Lors de ses séjours en prison, Jean et son frère Henri étaient élevés par leur tante, à Paris.

l'utilité qu'elle pouvait avoir pour un acteur de cinéma, et collectionnait au contraire, outre les prix de diction – c'était bien le moins –, ceux de gymnastique : le souvenir de Douglas Fairbanks l'obsédait.

L'enfant, qui habite bientôt Le Vésinet, devient un adolescent prêt à faire les quatre cents coups. Il ment, il vole. Il vole tout, partout : dans les poches, les vestiaires, les bureaux ; n'importe quoi, sans utilité. Une fois pourtant, il vole une boîte de peinture et il se met à peindre pour s'en servir... Il vole dans le sac de sa tante, dans les armoires de sa grand-mère ; beaucoup d'argent qu'il dépense au collège ; pas pour lui, pour ses camarades, car il veut se faire passer pour très riche. Il prétend avoir quatre châteaux, vingt voitures, cent domestiques. Une fois, sa mère ayant eu un accident de taxi en venant le chercher au collège, on vient le prévenir en classe, au beau milieu de ses camarades, en parlant d'un accident « de voiture ». Il est ravi, cela confirme d'un coup toutes ses histoires : ses Hispano, ses Delage, ses Voisin ; sa mère est un peu oubliée. Il dit qu'elle est actrice. On lui demande alors : « À la Comédie-Française ? » Il ne connaît pas un acteur de la Comédie-Française et croit que tout le monde est dans son cas. Il se fait aussi neveu de l'homme de radio Granier, parce que ce dernier s'appelle Jean de Cassagnac : coup double, descendant d'un acteur et d'un noble (les Granier de Cassagnac) ; bientôt, il en arrive à dire que toute sa famille s'appelle Cassagnac. Cela devient compliqué. La vérité, c'est qu'un des nombreux amis de la famille est réellement cousin de Granier.

À dix ans, lors d'une ébauche de relation sexuelle avec un pseudo-cousin, Jeannot comprend qu'il préfère les garçons aux filles. Il fera siens les mots de Cocteau dans *Le Livre blanc* : « Au plus loin que je remonte et même à l'âge où l'esprit n'influence pas encore les sens, je trouve des traces de mon amour des garçons. J'ai toujours aimé le sexe fort que je trouve légitime d'appeler le beau-sexe. »

Acteur né pendant son enfance ? En fait, dès qu'il est en âge d'apprendre un métier, sa mère et le conseil familial tout entier délibèrent. Enfin, on décide, pour tenir compte de ses goûts dramatiques et picturaux, qu'il sera photographe ! On le place en apprentissage chez un artisan au Vésinet. Il y va tous les jours, avec le sentiment très vif de perdre son temps, car il sait qu'il ne fera jamais ce métier. Il y développe et retouche les photos d'identité. On ne le laisse évidemment pas mettre la main aux « portraits d'art ». Par bonheur, son patron fait un peu de peinture. Jeannot le regarde faire pour saisir quelques rudiments. Entre-temps, il est caddy de golf, moins pour gagner sa vie que pour se procurer de l'argent de poche. Il va à Bougival ou à Fourqueux. Mais sa vocation d'acteur ne faiblit pas. Il ne sait juste pas comment s'y prendre. Les aides-opérateurs essaient leurs nouvelles pellicules en le photographiant. Jeannot garde le stock de photos, pour le cinéma. Mais l'accès aux portes de ce monde-là reste pour lui encore une énigme. Idem pour le chemin menant au théâtre…

Par chance, le secrétaire de son troisième patron photographe a essayé d'être acteur. Jeannot se confie. Il lui conseille de lire et d'apprendre quelques textes. « Il faut entrer au Conservatoire », lui explique-t-il. Pour cela, il faut d'abord aller dans un cours ; étudier une scène, se présenter au Conservatoire Maubel, la jouer devant Dorival qui lui dira ce qu'il en pense. Il travaille le monologue de Chatterton et s'y estime fort bien. Dès qu'il se sent prêt, il va trouver ce Dorival et interprète la scène devant lui. C'est le miracle, comme jamais dans toute sa vie. Plus de Jean Marais, il devient Chatterton… Hypnose, état second, délire, décollage dans l'inconnu… Le professeur qui, d'ordinaire, arrête la scène après quelques phrases, le laisse aller jusqu'au bout. Quand il a terminé, grand silence… La voix de Dorival lui parvient soudain à travers la brume : « Il faut aller vous faire soigner, mon petit ami. Vous êtes complètement hystérique ! » Jean ne comprend pas. Il n'a pas déclamé, il a souffert, comme Chatterton, le martyre, avec une jouissance suprême. Il retombe au plus bas du désespoir, mais se relève à l'instant même : par volonté, parce qu'il a contracté cette grave et définitive maladie : l'amour du théâtre.

C'est par amour pour cet art qu'il veut travailler, apprendre ce métier, penser, contrôler ses personnages, renoncer pour longtemps – peut-être pour la vie – à la jouissance absolue de s'y perdre. « Je décidai que cette douche glacée était une chance, m'ayant révélé qu'être acteur, c'était un métier. Et qu'un métier ça s'apprend. Et je l'apprendrai ! » dira-t-il. Une annonce dans un journal le conduit chez un certain M. Paupélix, qui propose des « cours gratuits tous les mercredis ». Hélas, pour être admis à participer à ces cours, il faut prendre par ailleurs des leçons particulières chez lui. N'ayant pas d'argent, un arrangement est trouvé : il repeindra et tapissera son appartement en échange. Il lui fait donner des répliques et, pour son concours d'entrée au Conservatoire, il lui choisit une pièce d'Henry Bataille, *L'Holocauste*. Le jour venu, l'annonce de ce choix fait un très curieux effet. Jeannot est arrêté net au bout de quelques répliques : recalé d'emblée ! Faut-il renoncer au théâtre ? Non. Son destin n'est pas au Conservatoire, c'est tout. On y fait trois ans de classe ? Il prendra des cours ailleurs pendant trois ans. D'ici là, le cinéma !

Jeannot est déjà passé dans bien des maisons de production où il dépose des photos plus ou moins avantageuses, sans aucun effet : pas la moindre figuration. Il relève systématiquement dans un annuaire tous les noms de metteurs en scène qu'il peut trouver. Il va les voir, mais on ne le reçoit pas. On lui dit de laisser des photos, de revenir plus tard. Il s'entend chaque fois répondre : « Laissez votre adresse ! » jusqu'au jour où il se présente chez Marcel L'Herbier. Le domestique s'enquiert du motif de sa visite. Jeannot, sans sourciller, lui lance : « C'est personnel, je suis un ami de M. L'Herbier. » Complaisant, le valet lui apprend que M. L'Herbier est à son bureau et comme Jeannot, qui n'a vraiment plus rien à perdre, feint d'en avoir oublié l'adresse, le domestique, sans malice, lui indique celle-ci. Arrivé dans les locaux rue de Marignan, alors que Jeannot, intimidé, pense qu'il devrait faire demi-tour, un homme d'un certain âge, sortant d'un bureau voisin, veut savoir ce qu'il désire. Sur sa réponse, un peu embarrassée, qu'il veut parler à Marcel L'Herbier, un ami personnel, l'homme lui demande à quel sujet. Cramoisi, un peu figé, Jeannot se rend compte qu'il a affaire à Marcel L'Herbier en personne. Amusé, le metteur en scène le fait entrer dans son bureau, s'enquiert du métier de son visiteur. Jeannot, ne voulant à aucun prix se présenter sous le métier de photographe, dit qu'il est peintre. Il expose d'ailleurs aux Indépendants. Marcel L'Herbier, pour l'aider, lui achète une toile et se décide finalement à lui faire faire un bout d'essai : c'était à prévoir, celui-ci se révèle désastreux. Cependant, L'Herbier lui parle du *Portrait de Dorian Gray* d'Oscar Wilde. Il veut faire des essais photographiques avec lui. Jeannot se décolore les cheveux, les boucle lui-même et s'imagine ainsi l'égal physique de Dorian Gray.

Bientôt, le réalisateur, homosexuel notoire, l'invite à dîner. Jeannot, tout de bleu vêtu, costume, cravate et casquette, passe le prendre. Le chauffeur à livrée les emporte dans l'Auburn noire doublée de rouge. « Voulez-vous dîner dans un endroit avec du monde ou bien dans un endroit tranquille ? » Son costume mal coupé lui fait répondre : « Où il n'y a pas beaucoup de monde. » L'Herbier parle au chauffeur et la voiture s'arrête au coin de la rue de Penthièvre et de la rue Cambacérès. Ils montent un escalier et se retrouvent dans un salon particulier. La table servie lui fait comprendre qu'on les attendait. Au fond du petit salon, une porte ouverte : Jeannot y aperçoit un lit préparé. Il devient muet, glacé. On les sert. L'Herbier lui parle et Jeannot ne lui répond que par oui ou par non. Il n'ose pas le regarder et fixe la porte ouverte et le lit. L'Herbier devient à son tour très froid. Il demande l'addition et ils se retrouvent dans la rue.

— Tenez, vous prendrez un taxi.

— Non, non, j'aime les autobus, merci.

— Qu'aviez-vous tout à l'heure ?

— Moi, rien… rien. Merci pour le dîner. Au revoir.

Après ce dîner, chaque fois que L'Herbier préparait un film, il le faisait venir à son bureau pour lui parler du rôle principal. Des semaines, quelquefois des mois, passaient, et finalement il était convoqué pour de la figuration ou de petits rôles. Jeannot acceptait tout de même. Lorsqu'il rencontrait le metteur en scène sur le plateau de tournage, ce dernier s'approchait de Jeannot et lui disait : « C'est dommage que vous n'ayez pas voulu tourner le rôle. »

Jean Marais multiplie ainsi les rôles de figurant. Entre-temps, il est remarqué par Victor Trivas pour tourner dans son film *Dans les rues*. Jean Marais croit un instant qu'il vient de décrocher le gros lot : autour de lui, dès son apparition au studio où il met les pieds pour la première fois de sa vie, ce ne sont que murmures flatteurs sur sa ressemblance parfaite avec le personnage central du film. De fait, les producteurs ont effectivement été sur le point de lui confier le rôle principal du film, lorsqu'ils songent à faire appel à Jean-Pierre Aumont, qui a l'avantage d'avoir déjà connu quelques succès sur les planches. Le rôle de Jean, du coup, se réduit à une brutale intervention, au cours d'une photogénique bagarre qui constitue le sommet du film. Avec l'ardeur de son âge et le désir de se faire remarquer qui le tenaille naturellement, Jean Marais s'en donne à cœur joie, joue en maître du poing et du chausson, reçoit avec héroïsme une volée de coups magistraux et, le film terminé, entraîne sa mère dans la salle de cinéma où l'on projette le film. C'est enfin la réalisation de son rêve le plus cher. La suite est moins réjouissante : si brève qu'elle ait pu être, la scène de Jean passe d'autant plus inaperçue qu'elle a été coupée au montage. Ce coup d'épée dans l'eau ne décourage point notre héros pour autant.

D'ailleurs, dès 1936, le théâtre de Charles Dullin l'occupe à plein temps. Comme il n'a pas les moyens de payer les cours, il fait de la figuration. Dullin a de la sympathie pour lui parce qu'il travaille. Jean Marais ne manque jamais son cours, le samedi de cinq heures à sept heures. Il a toujours une scène prête lorsqu'on appelle son nom. Dullin le fait répéter avec une attention toute particulière : jeu, diction, respiration, pose de la voix. « D'habitude, il ne s'attachait qu'au jeu. Nous étions tous émerveillés, passionnés par ses indications. Nous apprenions autant lorsque les camarades étaient sur l'estrade que lorsque nous y étions nous-mêmes. Je voudrais encore l'entendre expliquer *L'Avare* ou *Hamlet* à Jean Vilar qui était parmi nous », dira Marais. Charles Dullin évite d'indiquer une intonation. Grâce à son intelligence, à son instinct, à sa science théâtrale, il fait partager l'amour de son art à ses élèves et les guide vers la découverte d'un théâtre inventif. Il joue rarement la scène. Cela lui arrive parfois, pour leur prouver la facilité, la simplicité à se mettre en situation, de restituer les sentiments d'un rôle. Ainsi, l'élève d'un cours d'art dramatique a tendance à en faire toujours trop ; Charles Dullin, lui, joue, vit la scène devant eux. Ils assistent alors à ce que le public n'a jamais vu : un Charles Dullin professeur, encore plus grand acteur, plus grand metteur en scène que face à ses spectateurs.

Avec Dullin, c'est aussi l'école de l'humilité. Ainsi, au théâtre de l'Atelier, dans *Jules César*, Jean a quatre ou cinq petits rôles. Il est un coureur romain, quasi nu, puis un Gaulois avec de grandes moustaches et une perruque à tresses, ensuite un messager qui dit quelques mots à Jules César : « Ne sors pas aujourd'hui. Les augures, en enlevant les entrailles d'une victime, n'ont pas trouvé le cœur de l'animal. » Puis il porte le corps de Jules César. Et, au dernier acte, il est un soldat romain en petite jupe : un jour il tombe de tout son long sur le proscenium, découvrant son slip rouge personnel qui fait rire toute la salle et toute la troupe.

Tout en travaillant chez Dullin, Jean Marais continue à faire de la figuration dans les films de Marcel L'Herbier, si banale d'ailleurs, que nul, pas même lui, ne s'en souvient. D'un camarade, il apprend que Jean Cocteau va monter sa nouvelle pièce, *Les Chevaliers de la Table ronde*, avec Jean-Pierre Aumont. Il a, depuis longtemps, envie de connaître l'auteur des *Enfants terribles*. Il décide de se présenter à Cocteau pour lui demander de doubler Jean-Pierre Aumont : celui-ci aura bien, au long des représentations, un rhume bénin, une laryngite sournoise ou bien une grippe espagnole qui lui permettra d'interpréter enfin, ne fût-ce qu'un soir, un rôle important dans une pièce de valeur. Las ! L'adresse de

Cocteau est introuvable. Chance encore, estime Jean. Il est peu probable, en effet, que Cocteau confie à un débutant, dont il ne sait rien, le soin de remplacer, devant une possible défaillance, la vedette de son œuvre nouvelle. À quelque temps de là, un ami, jeune comédien comme lui, vient trouver Jean Marais dans sa loge ; il lui propose d'entrer dans une compagnie de jeunes qui va monter un spectacle. Jean refuse. Naïvement, il s'imagine que Charles Dullin lui confiera un rôle plus important dans sa prochaine pièce, et plus en rapport avec ses qualités. « Dommage, lui répond son camarade, il s'agit d'une pièce de Jean Cocteau… » Jean Marais rattrape alors son visiteur et lui dit : « Jean Cocteau, mais ça change tout. Je suis d'accord. »

Jean ne prend pas au sérieux cette histoire de compagnie, mais y voit l'occasion de concrétiser son idée fixe : doubler Jean-Pierre Aumont. Il demande :

— Que faut-il faire ?

— Il y a audition samedi, studio Vacker, à trois heures.

— Oui, mais à cinq heures moins le quart je vais au cours de Dullin. Je ne le rate jamais !

— Vous passerez dans les premiers. Vous avez une scène ?

— *On ne badine pas avec l'amour !*

— Une réplique ?

— Non.

— Je vous la donnerai.

Il arrive à trois heures justes. À cinq heures moins le quart, Cocteau n'est toujours pas là.

— Je vais chez Dullin. S'il vient, vous lui direz de m'attendre…

À sept heures et demie, Jean Marais revient. Cocteau est là. Jean passe l'audition et, à la surprise générale, il est choisi pour le premier rôle d'*Œdipe-Roi*. « Cela ne faisait plus du tout l'affaire de la troupe. Pris en surnuméraire, je raflais tout », dira Jean Marais. Les comédiens vont trouver Cocteau et protestent :

— Jean Marais est d'un autre cours, ce n'est pas juste !

— Bon, bon…, dit Cocteau, et il confie à Jean le rôle du chœur, laissant Œdipe à Michel Vitold.

On le lui annonce, mais au lieu que cela le contrarie, il en est ravi : Œdipe ou chœur, cela lui est égal, il doublera Jean-Pierre Aumont, pense-t-il en son for intérieur. La troupe répète : « Des gosses mis en scène par Jean Cocteau ! C'était extraordinaire ! dira Jean Marais. Je répétais, prenant de lui "la becquée", mot après mot, religieusement écoutés… mais moi, malgré sa gentillesse extrême, je n'osais pas lui adresser la parole… cette doublure de Jean-Pierre Aumont me pesait, me démangeait, me tenaillait ; trois mois… nous avons répété trois mois, pour le théâtre de l'Exposition, où finalement nous n'avons pas joué. Nous avons atterri au théâtre Antoine, pour vingt et un jours. Nous avions mis un cœur, un amour, une obstination, une telle pureté à ce travail… »

Dans la ferveur de l'Exposition internationale des Arts et Techniques de 1937, cette troupe d'amateurs ne doute de rien. La première a lieu le 12 juillet 1937. La critique est aimable, comme elle l'est généralement vis-à-vis de telles troupes. Jeannot n'est pas encore une « révélation », et pourtant, chaque soir, à l'avant-scène, il commente l'action et défend ardemment le texte de Cocteau : « Thébains, regardez cet Œdipe. Il devinait les énigmes. Il était roi. On l'aimait. Il n'enviait personne. Il s'écroule. Ne dites jamais qu'un homme est heureux avant qu'il ne tourne la dernière page. » Tous les soirs, Marais se bat contre le public. Le spectacle est beau, mais étrange. Certains ne ménagent pas les railleries : aux avant-postes du spectacle, Jeannot est la première cible : nu, enveloppé de bandelettes, sur un socle devant la scène où il s'installe dans le noir, il doit prendre une pose dans cette posture fixe qui, à la longue, lui donne des crampes effrayantes. Mais quand un certain public se moque trop fort du spectacle, il tourne brusquement la tête vers les récalcitrants et continue à parler, les pétrifiant du regard. C'est là qu'il apprend ce ton terrible : « J'avais appris, surtout dès ma première pièce, à ne gagner la partie qu'au prix d'un combat, à prendre plaisir à la lutte. Au théâtre Antoine, je me battais pour tout le spectacle », dira Jeannot.

Grand et athlétique, bardé de bandelettes pour mieux souligner sa sensualité, Marais, de sa voix frêle, force le respect. Jean Cocteau écrivit à ce sujet : « Nous vîmes Jean Marais, immobile dans son entrecroisement de bandelettes, combattre une foule moqueuse et, malgré son statisme, flamber d'une si intense colère contre la sottise inculte que des flammes s'échappaient de sa personne et que, tel un dragon gardien des trésors, il parvint à vaincre les rires stupides par la seule intensité de son âme. » Tel un fauve à la bouche pulpeuse, l'acteur en habit de momie est solaire à souhait. Bientôt, *Vogue*, convoqué par Coco Chanel, vient immortaliser le débutant. Cela n'ôte pas toute timidité à Jeannot qui n'ose toujours pas parler à Cocteau. Un jour pourtant, Cocteau s'approche de lui pour lui dire : « Jean-Pierre Aumont devait créer ma pièce à l'Œuvre en octobre et des contrats de films l'en empêchent : voulez-vous prendre son rôle ? » Ébloui, suffoqué, il balbutie, mécanique, idiot :

— Oui, bien sûr : qu'est-ce qu'il faut faire ?

— D'abord, connaître la pièce. Je vais vous la lire.

« Je suis allé chez lui, à l'Hôtel de Castille [1]. J'ai trouvé Jean Cocteau dans un peignoir de laine blanc, fourniture de l'hôtel, sali, plein de résidus d'opium et de trous de cigarettes : il

---

1. L'hôtel du 37 de la rue Cambon lui sert de domicile. En bonne voisine, Coco Chanel paie les notes.

fumait, dira Marais. C'était la première fois que je voyais cela. J'étais ahuri. Il avait un foulard autour du cou, très serré, à tel point que la chair se rabattait sur l'étoffe. Près de lui, Al Brown, et Marcel Khill, qui avait joué le messager dans *La Machine infernale*, et qu'il avait emmené avec lui dans son voyage autour du monde, en lui donnant le surnom du compagnon de Phileas Fogg dans Jules Verne : Passe-Partout. Je me sentais intimidé, perdu, déclassé dans ce milieu aux gloires étranges. »

Bientôt, Cocteau renvoie ses amis et Marais reste seul avec lui dans la chambre, avec cette lampe qui sert à ses pipes d'opium, l'odeur, le grésillement de la drogue. Jean pose ses pipes. Il commence à lire. « Comment pouvais-je trouver sa pièce ? Une merveille, bien sûr. J'avais encore plus envie de l'aimer que de la jouer », dira Jeannot. À la fin du premier acte, Cocteau lui dit : « Je suis trop fatigué pour lire la suite. Voulez-vous revenir un autre jour ? » Jeannot se retrouve dans la rue, courant, sautillant, comme si une fée l'avait touché, tout en lui s'écriait : « Mais c'est impossible ! » Huit jours passent et Jeannot revient. Jean lui lit le second et le troisième acte. « L'extraordinaire, c'est qu'il avait l'air de lire son œuvre devant le juge le plus qualifié, dira Marais. C'est en quoi il est aussi un homme extraordinaire. Il traitait ce petit garçon idiot que j'étais comme l'être le plus cultivé du monde, et quêtait ses avis comme des révélations. Moi, je ne savais que dire : j'aime, j'adore la pièce, je suis fou de joie de la jouer ! J'avais peur. Il m'a dit qu'il était d'accord, que j'étais juste le personnage, mais qu'il fallait à présent passer une audition devant la directrice de l'Œuvre, Paulette Pax. » Nouvelle angoisse pour le débutant. Il passe sa scène porte-chance d'*On ne badine pas avec l'amour*, avec la même fille curieuse et laide qui lui a déjà donné la réplique. Il est engagé.

Toutefois, Jean a voulu lever toute ambiguïté :

— Je dois encore vous prévenir que, si vous jouez ma pièce, on vous dira mon ami.

— J'en serai très fier, réplique un brin arriviste Jeannot.

Cependant, deux mois s'écoulent sans que Cocteau donne de ses nouvelles. Jeannot s'inquiète pour son rôle et guette le téléphone. Il sonne enfin et c'est Jean qui est au bout du fil : « Venez tout de suite, il y a une catastrophe ! » Jeannot bondit à l'hôtel de Castille. En chemin, mille pensées l'assaillent, angoissantes : Jean-Pierre Aumont a pu se rendre libre ; il joue la pièce et on lui retire le rôle ; il est au bord des larmes, désespéré. Arrivé à la porte de Cocteau, il frappe, entre... et le trouve fumant de l'opium. Il le regarde : Jean semble aussi désemparé que lui. Jeannot ferme la porte et reste immobile. Il s'attend au pire. Cocteau pose sa pipe. Il est en peignoir de bain qu'il a mis comme on met une robe de chambre après n'avoir enlevé que sa veste. Il laisse tomber ses bras le long du corps et répète : « Il y a une catastrophe… » Comme un enfant qui craint une punition, il laisse échapper : « Une catastrophe… Je suis amoureux de vous. » « Cet homme que j'admire m'a donné ce que je souhaitais le plus au monde. Il ne m'a rien demandé en échange. Je ne l'aime pas. Comment peut-il m'aimer moi… moi… c'est impossible », dira Marais.

— Vous voyez comme je vis, qui m'entoure, il faut me sauver. Il n'y a que vous qui puissiez me sauver…

— Moi aussi, je suis amoureux de vous, dit Jeannot.

Il ment, oui, il ment. Ne craignant pas d'être taxé d'opportuniste, Marais a été très sincère quant aux raisons de son mensonge : « J'avais une grande admiration pour Jean Cocteau, un immense respect qui ne correspondait pas à ses sentiments. J'étais flatté aussi. En outre, imaginer que l'être insignifiant que j'étais pouvait sauver ce grand poète m'exaltait. À cette seconde précise, j'ai dû devenir une sorte de Lorenzaccio. Dès cet instant, j'ai voulu donner le bonheur, "mettre en danger le malheur, ami des poètes", comme il me l'a écrit plus tard. Bien sûr, il ne faut pas oublier l'arriviste prêt à tout pour atteindre son but. Je ne me l'avouais pas ; je ne voulais voir en moi que ce qui pouvait embellir ma conduite. Je voulais me comporter dans le mensonge comme je l'aurais fait dans la vérité. Je me promis d'être irréprochable et de tâcher de devenir l'être qu'il imaginait. Je voulais être comédien ? Eh bien, je jouerais la comédie pour que l'être que j'admire soit heureux. »

À vingt-quatre ans, étonnamment beau, cet « Antinoüs du peuple », blond avec « toutes les caractéristiques de ces hyperboréens aux yeux bleus dont parle la mythologie grecque », est l'incarnation même des profils masculins que Cocteau aime dessiner. S'il ment d'instinct aux aveux de Cocteau, Marais va se dévouer corps et âme à rendre au poète son amour.

2

Jean

AVEC SA LONGUE SILHOUETTE dégingandée
et dansante d'éternel adolescent, Jean Cocteau est, en 1937, un personnage unique dans le
monde artistique parisien : le poète par excel-
lence. Son nom est universellement connu, son
œuvre considérable et diverse est traduite dans
toutes les langues, les anecdotes courent sur lui,
ses mots sont célèbres, on a fait de lui le drapeau
de la jeunesse, le symbole de la fantaisie ; on lui
prête des audaces qui frisent le scandale et ce
n'est qu'un cœur grave qui prend tout au sérieux,
un poète qui paie chèrement le prix de son âge.
Ses détracteurs s'obstinent à le traiter de funambule, d'acrobate, de prestidigitateur, à le prendre
pour un costumier, non pour un créateur, à ironi-
ser sur le fait que Cocteau serait le pluriel de
cocktail. D'autres s'entêtent à vouloir prouver

ses qualités de visionnaire, sa valeur de sourcier de l'au-delà. Mais c'est précisément parce qu'il est un poète authentique que Cocteau se dérobe à l'analyse. On peut discuter des théories de Spinoza, vulgariser les écrits d'un philosophe, on n'explique pas la poésie. Comment prouver la beauté à ceux qui ne la ressentent point ? Comment démontrer la vérité d'un homme qui n'a jamais fait que la montrer ? Car c'est la différence qui existe entre les philosophes et les poètes. Les uns montrent quand les autres démontrent. Avec Cocteau, il n'y a jamais que des évidences. Les miracles sont des évidences, les mystères aussi. Il ignore l'art des transitions. Il ne discourt pas sur des abstractions, il les concrétise. Il « pétrifie l'abstrait », selon la formule qui lui est chère. Ce médiateur entre l'invisible et le visible ne procède pas par déductions, mais par équivalences. Il incarne le spirituel dans la mythologie qui lui est propre. Son langage est fait de signes. Il écrit en algèbre.

Le résultat ? C'est qu'on ne comprend pas Cocteau avec son intelligence seule, mais avec ses tripes. Si l'on est sensible à ses images, à ses rythmes, à l'arabesque de sa phrase, à la précision presque insoutenable de ses mots, on entrera de plain-pied dans son univers. Un univers fait de rigueur. Il écrit comme il dessine, d'un seul trait, sans bavure. Et ses pièces sont encore des poèmes. C'est surtout l'un des créateurs les plus inventifs de sa génération. « Il fut, dit André Fraigneau, le Prince de la Jeunesse, l'inventeur de toutes les modes, l'oracle que l'on sollicitait à tout propos. » Il fut surtout le prince incontesté de ces années fascinantes : les années 1920, les années folles. On a dit : « Le chef-d'œuvre de Cocteau, c'est sa vie. » On lui a reproché de faire trop de choses et de les faire trop bien, ce qui prouverait l'excès de sa facilité. La vérité est que Cocteau, comme tous les grands, se suppliciait pour écrire. Il a parlé, dans *La Difficulté d'être*, de sa crainte superstitieuse devant la page blanche et de cette paresse que les psychiatres appellent « l'angoisse de l'acte » : « L'encre, la plume m'effraient. Je sais qu'elles se liguent contre ma volonté d'écrire… » Il a passé sa vie à vaincre par la rigueur l'excès de ses dons et a fini par reconnaître qu'il y a des échecs plus nobles que le succès. Victime de sa gloire, et de Paris, « qui enduit ses victimes de miel avant de les livrer aux fourmis », il tendait obstinément vers un Cocteau délivré de ses accessoires ou de ses mythes. À ses amis, il criait avec une ferveur désolée : « Vous ne me connaissez pas, vous ne savez pas qui je suis, rendez justice enfin à mon vrai visage. »

Il est né à Maisons-Laffitte, en région pari-sienne, le 5 juillet 1889. Issu d'une famille bour-geoise, fortunée, et ouverte aux arts, Jean Cocteau fait des débuts d'enfant prodige. À neuf ans, il écrit ses premiers vers. À vingt ans, il a déjà publié trois recueils de poésie. Il est l'enfant gâté des salons littéraires. Ses amis se nomment Catulle Mendès, Anna de Noailles, Edmond Rostand, Marcel Proust – ce dernier juge toutefois le jeune Cocteau un peu snob ! Il semble déjà le prisonnier d'une légende tapageuse dont il trace lui-même les premières arabesques en se faisant sacrer par Laurent Tailhade et les salons comme le poète à la mode de sa génération. Blouson doré de l'époque, il sort d'une famille qui compte des amiraux et des agents de change. Il aurait pu se laisser glisser sur la pente de la réussite jusqu'aux portes de l'Académie française qui se seraient sans doute ouvertes devant lui plus tôt. Mais quelque chose brûle en lui qui le pousse, non seulement à étonner Diaghilev, mais à s'étonner lui-même. Fasciné par le rouge et l'or du théâtre, il hante les coulisses du ballet russe qui éblouit Paris en ces années 1910. Il devient ami de Diaghilev et écrit pour Nijinski l'argument d'un ballet, *Le Train bleu*. Le succès est immédiat et sera suivi du scandale de *Parade*. Et il n'a pas vingt ans ! Il serait tentant de céder à la fascination d'un tel succès. Mais Cocteau ne tombe pas dans le piège. Il écrit : « J'avais monté vite l'échelle des valeurs officielles ; je distinguai combien l'échelle était courte et vite chargée de monde. J'appris l'échelle des valeurs secrètes. Là, on s'enfonce avec soi-même vers le diamant et le grisou. »

La guerre éclate. Bien que réformé, il se refuse à rester étranger à un tel bouleversement. Il s'engage comme ambulancier de la Croix-Rouge. C'est ainsi qu'il lie connaissance avec la mort. Elle l'envoûte. Elle ne le quittera plus. Aux années noires de la guerre succède une période foisonnante, bouillonnante d'activité artistique. Cocteau est au cœur de ce tourbillon. Il est partout à la fois, il est l'ami de tous, il est le prince, le roi du « Bœuf sur le toit ». Il brave Paris en y amenant des musiciens noirs qui tapent sur des tambours et soufflent dans des saxophones. Cela a un nom qui, à l'époque, vous écorche les oreilles : jazz band. Désormais, tout ce qu'il touche va devenir le dernier cri. Les boîtes de nuit empruntent les titres de ses œuvres. On guette la couleur de ses gilets, la manière de nouer ses cravates. Ses mots font mouche. Ses goûts donnent le ton ! Jean Cocteau fréquente Montparnasse, se lie avec Erik Satie, Modigliani, Max Jacob, Apollinaire, Cendrars et Picasso qui aura sur lui une influence décisive et dont l'amitié l'accompagnera jusqu'à la fin de sa vie. Il s'intéresse à la musique contemporaine et se fait le porte-parole de jeunes musiciens d'avant-garde, réunis autour de lui sous le nom de « Groupe des Six ». Il rencontre Raymond Radiguet – qui n'a encore rien écrit – et reconnaît en lui la marque du génie. De cette rencontre naît un amour passionné. Et une nouvelle orientation de son mode d'expression : il abandonne les procédés d'avant-garde pour revenir à un classicisme rigoureux. Dans *le Livre blanc*, il se met à nu en

1928. Et l'année suivante, il écrit en dix-sept jours son chef-d'œuvre : *Les Enfants terribles* où l'écriture prend une netteté, une simplicité qui plairont à André Gide.

Cocteau est curieux. D'une curiosité insatiable. Il s'intéresse à tout. Il vit son époque comme personne ne l'a vécue, toujours à l'affût de l'événement, toujours au cœur de l'action. Il est l'ami de tous ceux qui ont laissé un nom, Jacques Maritain et Bébé Bérard, Picasso et Jouvet, Colette et Coco Chanel. Il s'intéresse à la boxe aussi bien qu'à la chanson. Il se lie d'amitié avec Édith Piaf, il imite Buñuel et Dali en offrant un étrange film, *Le Sang d'un poète*, et découvre ainsi une technique fascinante pour plier le réel à sa fantasmagorie. Peintre et poète, auteur dramatique, romancier, cinéaste, décorateur, il a tout connu, tout essayé. Paradoxalement, l'abondance et la multiplicité de ses dons lui ont nui. Une tenace réputation de légèreté l'accompagne. On ne le prend pas au sérieux. Il le sait. Parfois, sans amertume, il s'en attriste : « Je suis sans doute le poète le plus inconnu et le plus célèbre. Il m'arrive d'en être triste… mais, si j'y réfléchis, je moque ma tristesse. Et je pense que ma visibilité constituée de légendes ridicules protège mon invisibilité, l'enveloppe d'une cuirasse épaisse et étincelante, capable de recevoir impunément les coups. »

Derrière ses déguisements de touche-à-tout, derrière les masques de l'enfant terrible, se cache un créateur de génie. Il invente tout ce qui va devenir la mode : des motifs d'assiettes, le smoking de couleur, le merveilleux au cinéma et le rajeunissement du monde antique au théâtre. Il n'est rien qu'il n'effleure et marque de son empreinte. Romans, essais, tragédies et comédies pour le boulevard. Il dessine, il sculpte. Il compose pour Marianne Oswald les couplets d'*Anna la Bonne*. Il se fait acteur pour jouer chez Pitoëff l'ange Heurtebise. Il se passionne même pour la boxe en devenant le manager du champion Al Brown, auquel il rend ses poings et son courage. Cocteau a tous les dons, il en a trop. On le dit touche-à-tout et ce grief lui fait mal. Évidemment, pour les gens sérieux, ou qui se croient tels, il n'est pas sérieux qu'un écrivain comme lui parte, pour le compte de *Paris-Soir*, faire le « tour du monde en quatre-vingts jours ». La littérature, en ce temps-là, regardait encore le journalisme d'assez haut. Il n'est pas sérieux de fumer de l'opium et de séjourner dans les cliniques. Il n'est pas sérieux de faire des calembours et de réussir partout. Les gens aiment bien qu'on se décide, qu'on soit acteur ou couturier, académicien ou décorateur, poète ou penseur, cinéaste ou danseur de corde. Mais, dans l'univers de Cocteau, tous les arts se rejoignent. Son rêve est de briser les barrières et d'exprimer la totalité de son temps. « On a fait de moi, dit-il, un personnage que je n'aimerais pas rencontrer. » Celui qui lançait la mode des manches déboutonnées au lieu de retrousser ses manches, un mondain, un équilibriste. Une figure de gala.

Or, ce funambule des arts est un moraliste et un philosophe. Il a dit : « La poésie est une morale. J'appelle morale un comportement secret, une discipline construite et conduite selon les aptitudes d'un homme refusant l'impératif catégorique, impératif qui fausse des mécanismes. C'est en vertu de ce principe que j'ai écrit : "Je suis un mensonge qui dit toujours la vérité". »

Pourtant, dans ces années 1930, Cocteau se voile la face : il est plus que jamais esclave de l'opium, malgré une cure en 1934 et une autre en 1936 : il fume quotidiennement un grand nombre de pipes[1] et a constamment besoin d'argent pour se procurer sa drogue au point de signer maints articles dans la presse et de vendre certains tableaux le représentant. Arrivé à ce degré d'intoxication, il est miraculeux que Cocteau puisse encore être aussi créatif. Ses compagnons et amis depuis la mort brutale de Raymond Radiguet, Jean Desbordes ou Marcel Khill, n'ont guère tenté de faire barrage à sa dépendance à la drogue. C'est d'ailleurs seulement au bout de plusieurs années d'intimité avec Marais, résolument hostile à tout stupéfiant, et en raison du manque d'opium occasionné par la guerre, que Cocteau va y renoncer.

Dès le premier jour, Jeannot se promet de faire désintoxiquer son mentor. Paradoxalement, il lui

---

1. Il lui arrive de fumer soixante pipes par jour.

arrive souvent de l'aider à fumer à l'hôtel de Castille. « Il dormait encore lorsque j'arrivais, racontera-t-il. Je lui parlais, je l'appelais, le secouais, doucement, plus fort. Les yeux restaient fermés. Il luttait pour sortir de ce sommeil. Il finissait par remuer la bouche. D'abord, je ne comprenais rien, car il ne prononçait aucun mot. Cela ressemblait plutôt à une longue aspiration. Pour se réveiller, il voulait fumer et n'avait pas la force de se redresser, d'allumer la lampe, de faire les petits cônes d'opium. Il voulait que je le fasse pour lui. »

Car loin de le plonger dans l'euphorie, la drogue anéantit Cocteau. Il se lève vers trois heures de l'après-midi, va déjeuner rue Duphot chez Prunier (seul établissement servant à cette heure-là). C'est avec la tombée de la nuit qu'il retrouve ses esprits, comme par miracle. Il parle alors à Jeannot jusqu'à ce que le jeune homme tombe de sommeil. On a souvent prétendu que les relations entre le poète et le comédien furent plutôt chastes. Or, l'extrait de pavot est réputé pour ses effets aphrodisiaques qui amplifient les images et les fantasmes érotiques ainsi que la sensibilité corporelle et la réponse sexuelle. L'opium, en réduisant les inhibitions et en amplifiant la relaxation, contribue à une plus grande spontanéité dans l'expression érotique, élargissant l'exploration du répertoire corporel.

La relation Cocteau-Marais est donc bien extrêmement charnelle, même si Jeannot ne fume pas d'opium en la compagnie de Jean. Cocteau, qui écrivait dans *Le Potomak* : « L'amour est un ineffable désastre », se rend corps et biens :

> *« Faire l'amour devient si beau*
> *Que cette beauté te ressemble*
> *Et nos corps confondus ensemble*
> *Ont l'air sculptés sur un tombeau. »*

Se réveiller avec Jeannot est un doux bonheur. Pour Jean, la joie de sentir son corps revivre, de replonger dans ce bain sensuel propre aux nuits d'amour est revigorant :

> *« Cent ans j'avais dormi*
> *Vint le prince charmant.*
> *Il était gai, naïf, infaillible, énergique,*
> *Mais il m'a réveillé de ce sommeil magique*
> *Je ne peux pas dire comment. »*

Il n'y a pas plus explicite que ces vers :

> *« Quand nous faisons l'amour ensemble*
> *Entre le ciel et l'enfer*
> *Je pense que cela ressemble*
> *À l'or pénétrant du fer.*
> *Or dur, or mou, hélas… que sais-je ?*
> *C'est froid, c'est chaud, c'est de la neige. »*

« Cocteau ne s'aimait pas physiquement [1], soutient Roger Lannes. La présence de Marais

---

1. Dans *La Difficulté d'être*, Cocteau note : « Je n'ai jamais eu un beau visage. La jeunesse me tenait lieu de beauté. Mon ossature est bonne. Les chairs s'organisent mal dessus. En outre, le squelette change à la longue et s'abîme. Mon nez, que j'avais droit, se busque comme celui

dans sa vie, si beau, le rassurait et le flattait. »
Avant[1] le commencement des répétitions des
Chevaliers de la Table ronde, Jean l'emmène dans
le Midi, à Toulon, chez une amie décoratrice,
Coula Roppa. Le couple descend en wagon-lit.
Le compartiment, du fait de l'opium et d'une
lampe Berger allumée, est étrange. Ils séjournent
à Toulon dans un appartement sur le port. Mais
un matin, vers sept heures, la police fait une descente et emporte tous les accessoires du fumeur.
Sans opium, Cocteau est désespéré. Que faire ?

— Tu vas te désintoxiquer, dit Marais.

— Non, non, Jeannot, non. Une désintoxication coûte très cher, puis cela prend du temps. Je
n'ai pas le temps. Je dois rentrer à Paris pour
mettre en scène notre pièce.

— Jean, tu dois te désintoxiquer.

— Non, je vais me jeter dans le port. Je ne
veux plus fumer ; je ne veux pas me faire désintoxiquer ; je veux mourir.

---

de mon grand-père. Trop de tempêtes internes, de souffrances, de crises de doute, de révoltes matées à la force du
poignet, de gifles du sort, m'ont chiffonné le front, creusé
entre les sourcils une ride profonde, tordu ces sourcils, drapé
lourdement les paupières, molli les joues creuses, abaissé les
coins de la bouche, de telle sorte que si je me penche sur une
glace basse je vois mon masque se détacher de l'os et prendre
une forme informe. »
1. Jean Marais, dans ses Mémoires, situe cet épisode de
Toulon à l'été 1937. Mais certains biographes de Cocteau
penchent plutôt pour juillet 1938. Nous avons choisi de rester fidèle à la chronologie de Marais.

— Jean !

— De toute façon, je risque une attaque en cessant de fumer. Ce sont des souffrances atroces ; je ne veux pas attendre.

— Jean, tu m'as dit qu'on pouvait refaire de l'opium avec du dross [1]. Eh bien, l'autre jour, je ne savais pas où mettre le dross ; je l'ai mis dans une grande enveloppe que j'ai collée. Elle doit être là, dans tes papiers. »

On cherche, on trouve l'enveloppe. Jean et Coula le cuisent à la cuisine. L'appartement empeste. Ils font des boulettes qu'ils avalent dans du café. Jean envoie Jeannot en mission à Marseille. Il lui donne une adresse. Il s'y rend, lui rapporte de l'opium et ce qu'il faut pour fumer.

Il est temps de rentrer à Paris pour les répétitions des *Chevaliers de la Table ronde* au théâtre de l'Œuvre. Lucienne Bogaert, pour qui le rôle de la reine a été écrit, le refuse, Edwige Feuillère ne veut pas le jouer. Paulette Pax propose une jeune inconnue, Annie Morène. Le rôle de la reine, rôle étourdissant, présente de grandes difficultés. Annie Morène n'est que très bien, alors qu'il faudrait du génie. Marais fait choisir Michel Vitold pour le rôle de Merlin. Jeune pour le rôle, mais quel talent et quel amour démesuré de son métier ! Jean-Louis Barrault refuse le rôle de Gauvin, Jean le confie à Georges Rollin. Il

---

1. Lorsqu'un fumeur nettoie sa pipe, il en sort une matière qui pourrait ressembler à du marc de café.

sera sans mystère, sans sexualité, sans trouvaille. Blanchette Brunoy, charmante dans Élandine. Samson Fainsilber fera le roi Arthur ; Pascal, Lancelot ; Yves Forget, Segramon. Jean se livre à un travail considérable de mise en scène. En même temps, il est la courtoisie, la gentillesse même. Précis, direct, il ne prépare rien à l'avance. Il improvise. De plus, il aime ses interprètes au sujet desquels il se répand en louanges.

Marais boit comme lait et miel les paroles de Cocteau. Pour lui, la partie n'est pas facile. Son rôle de Galaad est spectaculaire à l'épouvanter. On parle de son arrivée pendant tout le premier acte. Les trompettes de Purcell sonnent son entrée. Ce n'est pas une porte, c'est le mur qui s'ouvre, dans une brusque montée de lumière. Il entre, blanc brodé d'or, droit devant lui, sans rien voir, et, selon le vœu de Cocteau « parle comme une trompette » ; facile à dire, mais comment faire ? De quoi anéantir un débutant : Purcell lui coupe les jambes, la lumière le tue, ne rien savoir de ses partenaires l'affole. Aux premières répétitions, Cocteau lui a confié qu'il l'a ému aux larmes ; mais, plus tard, sur les conseils d'un ami, il lui demande de modifier son jeu, puis, deux jours avant la première, ne retrouvant plus son émotion, de le rétablir tel qu'il était.

Le 14 octobre 1937 a lieu la première. La mise en scène et le décor sont de Cocteau lui-même. Gabrielle Chanel [Coco] a dessiné les costumes dont celui de Jean Marais, or et blanc. Christian Dior a peint son collant. La pièce, trop bavarde, n'est pas accueillie comme son auteur l'espérait. Mais Marais fait bonne impression. Et quand, sur la scène, il déchire sa tunique pour mettre sa poitrine à nu, le Tout-Paris comprend que Cocteau a un nouvel ami. Dès cette première représentation, le public, les amis et la presse couvrent l'acteur de louanges : on admire surtout son physique. Plus tard, il écrira : « Les éloges de mon physique me servirent à comprendre qu'il fallait le combattre et ne pas profiter de lui. Je résolus de travailler aussi dur que si mon physique me desservait et qu'il me fallait acquérir le talent qui le remplace. » Mais pour la pièce, la critique est plus réticente. Colette est la seule enthousiaste. Pierre Buisson, dans *Le Figaro* du 24 octobre 1937, note toutefois : « M. Jean Marais fait un superbe Galaad dont les muscles roulent sous la peau et qui a du feu et de la violence. » Le spectacle va tenir l'affiche trois mois. Mais une semaine après la première, Cocteau, étrangement, quitte Paris pour rejoindre le peintre Jean Hugo, au Mas des Fourques, dans l'Hérault. Il expliquera que trop de bonheur avec Jeannot lui faisait peur. Bientôt, cependant, il retrouve le jeune homme et leur harmonie semble totale, sans nuage :

> « *Le tour du monde était un bien pauvre voyage*
> *À côté du voyage où je pars avec toi*

Chaque jour je t'adore et mieux et davantage
Où tu vis c'est mon toit. »

Jean pose tendrement la tête sur l'épaule de Jeannot, lui baise les mains avec tendresse, allonge le pas pour suivre sa foulée athlétique dans la rue et est euphorique en sentant les regards envieux sur leur passage. Le plus beau rideau de théâtre qui se lève sur leur chance est, en 1937, celui de l'Odéon. Il dévoile Yvonne de Bray. Cocteau l'y a emmené. Jeannot n'a jamais entendu parler d'elle. On lui a expliqué que c'était une grande actrice, qui avait abandonné la scène pendant vingt ans à cause de son alcoolisme. Malgré son peu d'expérience du théâtre, pour lui, un grand acteur doit vous faire dresser de votre fauteuil... La pièce est mauvaise mais, lorsqu'elle entre, tout est changé. Enthousiaste, il se lève et crie. C'est un bonheur sans bornes, une révélation, un mystère ; un génie qui coule de source ; des intonations rares qui soulignent le naturel ; œil bleu qui vous emporte, en jouant, vers des zones que l'on n'aurait jamais atteintes seul... Et il s'imagine déjà travaillant avec elle... Ils vont la voir dans sa loge. Jeannot l'adore tout de suite.

Cocteau décide d'écrire une pièce pour elle et lui. Bientôt, la distribution est complète : Jouvet, Madeleine Ozeray, Gabrielle Dorziat, Yvonne de Bray et Jean Marais. Mais la pièce n'est pas encore écrite. Cocteau, qui aime jouer avec les difficultés, demande à Jeannot quel genre de rôle il aimerait. Il répond : un jeune homme moderne, avec des sentiments extrêmes, qui rit, pleure, crie, se roule par terre ; bref, dans une intrigue contemporaine, un rôle où l'on pourrait imaginer un acteur d'autrefois. Car plus rien ne l'intéresse désormais que le style Yvonne de Bray. Un genre monstre sacré de naguère et qui démode le goût de ceux de son époque. Le duo part en province à Montargis pour fuir Paris où trop de visites et de coups de fil les dérangent. Ils descendent à l'hôtel de la Poste. « Nous avions pris une chambre commune à deux lits où nous avions installé toutes nos affaires, ses livres, ses papiers, mes boîtes de peinture, dira Marais. Je n'avais pas encore peint depuis que je le connaissais, et soudain je n'osais pas : j'avais peur de son jugement ; et j'étais trop préoccupé par mon impatience de le voir écrire. Je ne peignais pas. Il n'écrivait pas. Nous nous promenions toute la journée. »

Pour écrire, Cocteau aime ce genre d'endroit. La petite ville traversée de ses nombreux canaux, ses vieilles maisons, son charmant théâtre fermé, sa campagne… l'hôtel simple, avec un accueil confortable, une bonne nourriture. À part les sorties champêtres, Jeannot travaille sur des brochures classiques, lit des livres ; Jean dessine, fume, reste étendu pendant des heures. Au cours de leurs longues promenades, Jeannot essaie d'expliquer à Jean qu'il n'est pas aussi bien qu'il l'imagine, qu'il a tort de le voir comme un archange, qu'il n'est pas pur. Cocteau lui explique alors que la pureté n'est pas ce qu'on entend d'ordinaire. La pureté, selon lui, c'est d'être fait d'un bloc. Le diable est pur parce qu'il ne peut pas faire le bien.

— Alors, je suis le diable, rétorque Jean Marais.

Cocteau rit :

— Tu es mon ange gardien.

Bientôt, l'écriture des *Parents terribles* approche. Un jour, Marais le voit se lever du lit, se mettre à la table, écrire, écrire, huit jours et huit nuits d'affilée, d'une seule traite, sans ratures : seul son visage se froisse, se crispe. Il a cette mine terrible qui faisait dire à une de ses femmes de ménage : « Monsieur, je n'aimerais pas vous rencontrer au coin d'un bois quand vous écrivez ! » Marais, lui-même, a presque peur : Cocteau a une tête d'assassin. Luttant contre le sommeil pour ne pas abandonner son compagnon, il ose à peine tourner les pages de son livre, de peur de le déranger. À son réveil, il a honte de s'être endormi, mais Cocteau le rassure. Le huitième jour, il lui lit la pièce. À la fin de la lecture, il voit le visage consterné de Jeannot et lui demande, inquiet :

— Tu ne l'aimes pas ?

— Je la trouve admirable.

— Alors pourquoi fais-tu cette tête-là ?

— Je ne fais pas de tête…

« En fait, j'étais désespéré, expliquera Marais. Dans mon for intérieur, j'étais persuadé que je ne pourrais jamais interpréter un tel rôle, et je ne voulais pas l'avouer à Jean Cocteau pour ne pas détruire sa confiance. Je lui ai seulement dit que j'allais beaucoup travailler. »

Aucun directeur de théâtre ne se déclarant prêt à monter l'œuvre de Jean Cocteau (Louis Jouvet et Madeleine Ozeray se sont retirés), l'auteur et son interprète décident de tenter leur chance et de monter le spectacle à leurs frais en louant quelque théâtre vacant. Ils se mettent donc en quête de capitaux, réunissant la presque totalité de la somme dont ils ont besoin, moins de 32 000 francs. Or, à la même époque, les journaux sont pleins de l'aventure d'une femme qui, s'étant fait passer pour la femme de Jean Cocteau, a réussi à escroquer quelque 32 millions à des naïfs. « Mais comment a-t-elle bien pu faire ? » se lamente Jean Cocteau, qui eût volontiers demandé conseil sur ce chapitre à cette aventurière pleine d'imagination. En désespoir de cause, et devant l'impossibilité où il se trouve de recueillir tous les capitaux nécessaires, Jean Marais confie un jour sa déception à Roger Capgras qui préside aux destinées du théâtre des Ambassadeurs. Capgras, grand seigneur, ne le laisse pas achever : « Mon théâtre est à la disposition de Jean Cocteau, quand il voudra, pour y monter ce qu'il lui plaira... » Et c'est ainsi que sont créés, le 14 novembre 1938, sur la scène des Ambassadeurs *Les Parents terribles,* avec Jean Marais, Yvonne de Bray [1], Josette Day, Marcel André, Gabrielle Dorziat.

Le jour de la générale, Marais est plié en deux dans les coulisses. Tout-Paris est là. Il entend ses camarades jouer sur scène. Il y a un silence de mort dans la salle et le vide s'installe en lui. Ses mains sont moites, une sueur froide le parcourt de la tête aux pieds, l'estomac lui brûle ; il craint de s'évanouir avant même d'entrer en scène. Le trac le submerge. Mais voici le moment crucial. Il se « jette à l'eau », mais ne se noie pas. Il doit bientôt dire à ses parents de théâtre : « Écoutez, mes enfants. » On doit rire et l'on rit. Cela s'annonce bien. Du coup, Marais joue le reste dans une détente allègre.

Dès le premier entracte, on ne peut plus douter du succès. Les invités se ruent dans les loges pour prodiguer d'ultimes conseils. Au second acte, il est applaudi au milieu de sa grande scène. Quand il retombe en pleurs dans le fauteuil, on l'acclame. En nage, il sort sous les applaudissements, épuisé, se déshabille, s'éponge, se frictionne à l'eau de Cologne. Tout à coup, il entend un tonnerre d'applaudissements : c'est le rideau. Il faut aller saluer, mais il est quasi nu. On lui crie que le public le réclame. Il entre sur le plateau en peignoir de

---

1. De Bray souffrante, c'est Germaine Dermoz qui assure la première série de représentations.

bain. Une ovation l'accueille, toute la salle lui crie : « Bravo ! ! ! ! » Il pleure et se demande si c'est bien lui qui se trouve là. Sa loge est encombrée de toutes les vedettes qu'il n'aurait jamais cru pouvoir approcher. Il est un peu grisé. On le sacre génie ; cela le dégrise. L'actrice Marguerite Jamois tombe à pic : elle l'assure qu'il ne pourra jamais jouer d'autres rôles. Au troisième acte, il est calme. Il décide, un quart d'heure avant d'entrer en scène, de s'étendre par terre devant la porte, et il pleure. Il pleure pour avoir les yeux rouges et parler du nez. L'étonnement des machinistes redouble quand il sèche toutes ses larmes avant de retourner sur les planches, afin que seuls demeurent ses yeux rougis et le léger nasillement, vestiges de son chagrin. Cette figure bouffie et pâle, ce cheveu ébouriffé, et surtout son pantalon trop large à la ceinture qui tombe et qu'il retrousse provoquent un grand rire dont il est fier. Au rideau, c'est un triomphe. On pleure, on rit, on crie, on hurle, on l'ovationne debout.

Pièce de boulevard en apparence, *Les Parents terribles* s'inspirent des relations étranges entre Jeannot et sa propre mère. Cocteau joue à la perfection de cette ambiguïté. Les deux interprètes se ressemblent d'ailleurs tellement, avec ce même air animal, qu'on entre tout de suite dans l'histoire de ces *Parents terribles*. Une mère possessive, abusive, qui préférera la mort (en s'empoisonnant...) que d'avoir à partager son fils avec une autre... Cette histoire se place entre le vaudeville et la tragédie, l'histoire des épaves de la bourgeoisie… Nous retrouvons les piles de linge sale des *Enfants terribles,* nous retrouvons la beauté d'un adolescent à l'âge où l'on confond la poésie avec l'ivresse de ne rien faire ; nous retrouvons les châles errants sur les fauteuils rouges et le jeu cruel des passions contraires avec Michel, Yvonne, Léo, Georges et Madeleine, ces personnages pour qui Jean Cocteau a supprimé les noms de famille…

Le triomphe est bien là. Succès pour Cocteau (une fois de plus) ; succès pour Marais. Paris veut voir et connaître la nouvelle découverte du poète metteur en scène. Deux cents représentations aux Ambassadeurs vont suivre. Jusqu'au jour où Capgras quitte la direction du théâtre et où le conseil municipal de Paris fait savoir qu'il ne peut plus tolérer désormais dans un théâtre appartenant à la ville une pièce aussi « incestueuse ». Mais Willemetz propose immédiatement à Cocteau de continuer aux Bouffes-Parisiens. La pièce y fait encore plus de deux cents représentations : « La critique était unanime… J'avais gagné… Mais quel trac durant les premières représentations… La plus grande épreuve et aussi la plus grande joie de ma vie. » Marais va chaque soir au théâtre comme on va retrouver sa maîtresse et le quitte comme on la quitte, épuisé et béat. Il a l'ivresse de son personnage et fait des progrès tous les jours. « La pièce n'en finissait pas de se jouer et de plaire, avouera Marais. Et moi d'être heureux. »

C'est l'époque où Jean et Jeannot s'installent ensemble dans un grand appartement vide du 9, place de la Madeleine, le quartier fétiche de Cocteau. Petit à petit, le logis se meuble. Gabrielle Dorziat offre les couvertures, les draps et les oreillers. Yvonne de Bray des sommiers et des matelas. Elle donne aussi à Jean la table de travail d'Henry Bataille. Jeannot « fauche » deux chaises de jardin de la ville de Paris au carré Marigny. Dans la chambre de Marais, trône une vieille table de jeu repeinte en blanc, avec, pour remplacer son tapis, un dessin de Jean en couleurs, recouvert d'une plaque de verre ; une colonne de plâtre blanc soutient un vieux coq de fer rouillé ; des dessins de Jean aux murs, dont un très grand qu'il a fait sur un drap ; un candélabre baroque avec, à la place de bougies, des boules de pêche en verre. Jeannot enferme tout ce qu'il a de précieux dans la cantine de marin au pied de son lit. Le salon possède enfin une table, quelques chaises, ainsi que la bibliothèque qui s'y trouvait déjà avant leur arrivée. André de Vilmorin leur offre la batterie de cuisine de sa mère. On campe dans une sorte de roulotte sophistiquée digne des *Parents terribles* !

Jean et Jeannot sont heureux. Et à Noël 1938, Cocteau glisse sous la porte de la chambre de Marais ce petit mot :

JEAN

« *Mon Jeannot,*

C'est Noël, le plus merveilleux Noël de toute ma vie. Dans mes souliers il y a ton cœur, ton corps, ton âme, la joie de vivre et de travailler ensemble. Un objet serait "le cadeau utile" que je réprouve. Du superflu. Je ne regarderais que les mains qui le donnent. Mon Jeannot, jamais je ne te répéterai assez : merci, merci pour ton génie créateur, merci pour notre amour.

Ton Jean. »

3

Les Amants terribles

LE TRIOMPHE des *Parents terribles* change le statut de Jean Marais. Du jour au lendemain, cela apporte à Jeannot des propositions de cinéma. Julien Duvivier lui propose, tout d'abord, de jouer un petit rôle dans *La Fin du jour*, pour en tourner ensuite un, plus important, dans *Untel père et fils*. Mais Jean Marais refuse, le personnage ne lui convenant pas. Julien Duvivier lui en garda sans doute quelque rancune puisqu'il ne fit pas appel à lui pour *Untel père et fils*.

Mais qu'importe, voici Fernand Rivers qui l'engage pour tourner *L'Embuscade* de Kistemaeckers. Jeannot signe, assez imprudemment, mais lorsqu'il lira le scénario – et c'est tout à son honneur – il n'hésitera pas à verser un lourd dédit, à une époque où il n'était guère riche, pour éviter d'apparaître dans cette sombre histoire.

Quelle importance ! Il est engagé pour tourner *Nuit de décembre* avec Pierre Blanchar. La malchance le poursuit : il tombe malade et doit être remplacé par Gilbert Gil. Cette occasion manquée, il ne la regrette pas un instant, puisque voici dans sa loge Marcel Carné, le metteur en scène pour qui l'acteur éprouve la plus vive admiration, et qui promet à l'interprète des *Parents terribles* de le faire débuter. Fort de cette assurance, Jean Marais repousse toutes les propositions qui lui sont faites. Il doit tourner *Les Évadés de l'an 4 000* sous la direction de Carné. Le projet est abandonné, c'est désormais *Juliette ou la Clef des songes*, d'après la pièce de Georges Neveux que prépare le metteur en scène, toujours avec Jean Marais. Las ! Le metteur en scène propose, et les producteurs font comme bon leur semble. Enfin, voici une proposition qui risque de consacrer sur le plan cinématographique les succès théâtraux de Jeannot ! À l'été 1939, Alexandre Esway décide de porter à l'écran au mois d'octobre *Les Parents terribles* : Marais débutera ainsi dans « son rôle »… Hélas ! Le 3 septembre 1939 arrive et il se retrouve soldat, un homme comme les autres, à Amiens, au 107e bataillon de l'air. Il devra encore attendre… Mais ne brûlons pas les étapes !

Marais est devenu une vedette et ses premières interviews paraissent. Dans *Cinévie*, il répond à un questionnaire à la Marcel Proust :

— *Quelle est votre occupation favorite ?*

— *La peinture. Ce n'est pas seulement un violon d'Ingres pour moi et si je le pouvais je ne ferais que cela. Mais comme je travaille beaucoup, je n'ai guère de temps pour m'y consacrer.*

— *Votre qualité préférée chez un homme ?*

— *L'intelligence...*

— *Et chez une femme ?*

— *La simplicité.*

— *Où aimez-vous vivre ?*

— *Sur une scène de théâtre...*

— *Quel est votre plat préféré ?*

— *Le filet de bœuf grillé avec un bon vin.*

— *Quels sont vos prénoms favoris ?*

— *Nathalie, Madeleine, et surtout Marie...*

— *Quel est votre plus cher désir ?*

— *Avoir un enfant.*

— *Quelle est votre couleur préférée ?*

— *Le bleu...*

— *Quelle fleur aimez-vous particulièrement ?*

— *Les fleurs des champs.*

— *Quelle est votre plus grande joie professionnelle ?*

— *D'avoir créé* Les Parents terribles *au théâtre...*

À *Cinémonde*, il précise : « La première fois qu'on m'a payé pour *Les Parents terribles*, j'ai eu l'impression de voler ce que je gagnais. J'étais déjà si heureux de jouer, et en plus on me donnait de l'argent !... » Car *Les Parents terribles* n'en finissent pas de se jouer et de plaire, Jeannot d'en être heureux.

Un soir, son directeur, Roger Capgras, vient le trouver et lui dit qu'un jeune homme en pyjama bleu ciel, babouches aux pieds, bouteille de whisky et boîte de cinquante Chesterfield à la main, s'est présenté au contrôle pour être placé dans la salle. « Comme il est venu pour toi et que je ne peux pas le placer, je te l'envoie. » À l'entracte, Jeannot remonte dans sa loge, sans plus penser à son visiteur. Il y voit le jeune homme assis par terre, fumant et buvant. Il est, malgré sa tenue, élégant, américain et beau, désarmant par la désinvolture de ses dix-neuf ans. Il lui demande pourquoi il vient au théâtre dans cette tenue, bien que cela ne le choque nullement. Il lui répond qu'il est malade et que ses amis l'ont quitté en emportant ses vêtements, car ils savaient qu'il voulait venir le voir. « J'étais donc obligé de sortir en pyjama », conclut-il. Jeannot le fait placer dans une baignoire grillagée comme il en existe à l'époque. À la fin du spectacle, tous ses camarades veulent le voir. Cocteau et Marais le raccompagnent jusqu'au 33 de la rue du Bac où il habite.

Cet enfant terrible, qui a pour nom Denham Foots, plaît irrésistiblement à Jeannot, au grand dam de Cocteau qui s'épanche bientôt dans une lettre pleine de jalousie.

« La conversation de D. n'est pas pour toi. Ses goûts ne sont pas pour toi. Son style d'existence n'est pas pour toi. Tu en fais un prince charmant. Mais à mes yeux, et aux yeux des autres, c'est un pauvre gosse mal situé dans l'existence et paresseux devant le destin. »

Et Cocteau de conclure :

« Je ne souffre pas. Je suis anesthésié de désespoir. Notre pauvre, sublime, merveilleuse histoire ! Est-ce possible ? »

Un post-scriptum souligne :

« Comment te faire comprendre que je n'existe plus en dehors de toi ? »

Cocteau a des raisons d'être inquiet. Denham Fouts est un personnage fascinant : une sorte d'ange noir. Plus tard, Truman Capote s'inspirera de lui pour le personnage de Jonesy dans *Prières exaucées*. Christopher Isherwood succombera aussi à son charme et l'immortalisera dans *Down there on a visit*. Et Gore Vidal le mettra en scène dans *Pages d'un journal abandonné*. Marais et lui auront des rapports très charnels.

Un poème résume la jalousie de Cocteau envers les amants épisodiques de Marais :

« Ils peuvent te donner des corps durs et robustes
Des rendez-vous cruels joyeux et clandestins…
Peuvent-ils te donner un palais de tes bustes ?
Peuvent-ils te donner l'étoile des destins ?

Je suis venu vers toi, malgré l'ombre et le vice,
Pur comme le très pur, naïf et glorieux ;
Peuvent-ils, ces voleurs, te rendre le service
Du portrait idéal et du tien dans mes yeux ? »

Et Jean de plaider sa cause dans une missive convaincante :

« *Jeannot bien-aimé,*

Je te supplie de lire cette lettre avec ta belle âme et notre amour, comme elle a été écrite et n'y trouve pas l'ombre de jalousie, de solitude, d'amertume de l'âge, etc. Je te le jure. Je suis très très triste, mon Jeannot, parce que la chance m'a aidé à te mettre au pinacle et que tous t'aiment... Seulement le monde guette les moindres fautes et s'en félicite. Or, que tu sortes sans cesse avec des garçons de ton âge est parfait. Ce seraient Mercanton, Gilbert, etc., je n'y verrais que simplicité, que travail, que joie. Ce dont ta pureté t'empêche de te rendre compte c'est que la petite bande avec qui tu sors sans cesse est aux yeux des gens une bande de truqueurs mondains, d'oisifs entretenus, indignes de toi, et que ta présence rehausse alors qu'elle t'abaisse [...]. Sois brave. Ouvre les yeux. Pense. Pense à mon travail, à nos pièces, à nos projets, à notre pureté, à notre ligne droite – et mets en balance mon atroce malaise de te savoir toujours envolé de ta chambre vers ces lieux qui te dégradent sans que tu t'en rendes compte. Ne m'en veux pas de ma franchise. J'ai combattu beaucoup avant d'écrire ces lignes. Il me serait plus commode de profiter de ta gentillesse et de me taire. Médite ces lignes et trouve en toi-même la réponse. Ne me la fais pas. Vis-la. »

Jeannot cesse ses escapades et l'équilibre de la roulotte repart comme en atteste un autre message :

« *Mon Jeannot,*

Jeannot, tu vas dire que j'ai la manie des lettres. Mais c'est si bon, la nuit, de t'écrire et de glisser ma tendresse sous ta porte. Mon Jeannot, tu m'as rendu le bonheur. Tu ne sauras jamais ce que j'ai souffert. Et ne

*t'imagine pas que je te priverai de tes caprices. Tu me
les raconteras et nous nous retrouverons dans l'amour
plus fort que tout.*

Redonne-la-moi vite.

Je t'adore. »

Peut-être faut-il voir l'aspect magnanime du
poète lorsque lui et Jeannot sont invités à un bal
costumé chez Étienne de Beaumont. Le thème
en est « Louis XIV et son temps » ; Jean Cocteau
ne veut pas se déguiser. Il conseille à Jeannot d'y
aller en compagnie de Denham. Les jeunes gens
improvisent leurs costumes avec ce qu'ils ont
sous la main : descente de lit en peau de pan-
thère, bottes d'où sortent des feuilles de vigne,
perruques Louis XIV. Ils font une entrée remar-
quée, car Denham laissera tomber une boîte d'or
d'où se répand de la cocaïne. Le poète Roger
Lannes est ébloui par Marais, « magnifique de
jeune beauté, d'insolence et de gentillesse
mêlées ». Devant lui, Jeannot lâche imprudemment : « C'est fatigant de suivre la vie de Jean »,
semant chez son interlocuteur un doute sur l'avenir de leur relation.

Tandis que la pièce se joue à guichets fermés,
deux mésaventures gâchent le plaisir de Jeannot.
Un jour, son visage est atteint d'un mal étrange :
des plaques, puis des croûtes suintantes qu'il doit
enlever chaque soir avant de mettre une crème
spéciale avant et après le maquillage. Au bout
d'un quart d'heure, les suintements recommencent. Il consulte toutes sortes de médecins

qui, perplexes, pensent à un problème au foie, puis à quelque maladie vénérienne... sans vraiment se prononcer. Un jour que Jean fait une conférence, Jeannot se trouve par hasard devant une glace et fond en larmes. Jean le ramène en voiture, essayant de le consoler... en vain. L'idée qu'il ne pourra bientôt plus jouer le désespère. Enfin, un spécialiste découvre, après un long examen, qu'il souffre d'une maladie infantile : la gourme ! Il lui donne une pommade au mercure, en le prévenant qu'il y a une chance sur mille qu'il ne la supporte pas. Le soir, il croit mourir, devenir fou, mais son désir de guérir le fait tenir bon. Il se cogne aux murs de sa chambre, un mouchoir entre les dents, en pleurs. Jean le supplie d'arrêter. Mais il veut à tout prix guérir. Il tient le coup. Vers les six heures du matin, il essaie de se laver le visage : il est brûlé. De plus, l'irritation lui a donné une sorte de rhume de cerveau. Au matin, le médecin lui prescrit une autre pommade. Il est guéri quarante-huit heures après.

Un autre soir, c'est sur scène qu'il se met soudain à saigner du nez. Il essaie d'étancher le sang avec son mouchoir tout en continuant à jouer, mais le mouchoir est bientôt plein. Germaine Dermoz lui passe le sien, puis son écharpe. Puis des spectateurs de l'avant-scène lui tendent leurs mouchoirs qu'ils sont allés trempés dans les lavabos : ainsi tout le premier acte. À l'entracte, le médecin de service lui fait une piqûre et lui bourre le nez de gaze. Il joue les deux derniers actes en sentant le sang lui couler dans la gorge. Le lendemain, il se réveille avec des maux dans les oreilles : otite double. Le médecin l'autorise à jouer le soir, à ses risques et périls : chaque intonation, chaque pas lui font éclater le crâne. Le lendemain, il n'est plus question de jouer : il a 41° de fièvre. Il délire et doit renoncer au spectacle (un jeune acteur du nom d'Yves Forget le remplace).

Le médecin contacté, le docteur Aubin, craint une mastoïdite et, pire, une méningite – à l'époque, la pénicilline n'est pas encore disponible pour les soins. On opère. Jeannot guérit puis rechute deux fois. Nouvelle opération, suivie de deux mois imposés de convalescence. Pour lui, alors au seuil de sa carrière, jouant une pièce qu'il adore, c'est un supplice. Jean Cocteau décide de venir avec lui pour le soutenir. Il en profitera, dit-il, pour écrire une nouvelle pièce et lui demande, une fois de plus, quel genre de rôle lui plairait. Marais, qui vient de lire *Crime et châtiment*, s'est pris de passion pour Raskolnikov. Cocteau promet de s'en inspirer. Ils achètent une voiture et engagent un chauffeur : Marais est loin de pouvoir conduire et Cocteau n'a pas son permis. Les voici en route vers le bassin d'Arcachon. Ils descendent au Piquey, dans un petit hôtel, inconfortable cabane en bois, où naguère Cocteau, Pierre Benoit et Radiguet ont fait un assez long séjour ensemble. C'est là que Jean

Cocteau enfermait Raymond Radiguet dans sa chambre et ne lui permettait de sortir qu'après avoir rédigé dix pages, dûment vérifiées : ainsi l'obligeait-il à faire son œuvre !

Pendant le trajet, Jean lui demande brusquement :

— As-tu de quoi écrire ?

— Non, juste mon livre d'adresses.

— Donne-le-moi.

Il écrit. Marais ne bronche pas. Il se dit : « Quel bonheur, c'est la pièce, la future *Machine à écrire.* » Mais non. C'est *La Fin du Potomak* dont Cocteau se libère, par brusques bouffées : ce qu'il appelle non pas l'inspiration mais l'expiration. Il n'arrête pas d'écrire de tout le voyage. À l'hôtel Chantecler, au Piquey, le souvenir poignant de Raymond Radiguet s'impose et inspire plusieurs pages au livre. On voit ainsi ces vers :

« La mort aimait l'enfant qui finissait un livre
Toujours il travaillait et dormait à demi
Depuis qu'il a cessé de vivre,
Le bonheur est mon ennemi…

Mort ne soyez donc pas habile,
Allez, allez votre chemin :
Vous voyez, je reste immobile
Et même je vous tends la main.

Voulez-vous que je vous aide ?
Peut-être serait-ce mieux.
Mort, êtes-vous belle ou laide ?
De vous je suis curieux.

Ai-je une minute à vivre ?
Ce pas est-il votre pas ?
Qu'importe, je laisse un livre
Que vous ne prendrez pas. »

La présence de Marais fait revivre un instant Radiguet. Jean termine *La Fin du Potomak* et esquisse la pièce *La Machine à écrire*, tandis que Jeannot peint plusieurs toiles. Bientôt, le duo part pour la Dordogne et rentre par Tulle pour regagner Paris.

Jean Marais reprend son rôle, le 12 mai 1939. L'acteur a convié au théâtre son médecin, qui lui déclare : « Si j'avais su ce qu'était votre rôle, je ne vous aurais jamais permis de jouer. » Tête contre la porte, à pleurer dans la poussière tous les soirs avant son entrée sur scène, crise de larmes à l'acte II et crise de larmes à l'acte III : de là est sans doute venue l'inflammation des sinus qui a causé tous ses malheurs.

La vie heureuse recommence, même si Marais souffre cette fois de maux de dents. Cocteau lui écrit :

« Ton sale mal,
Mon Jeannot je baise tes pieds
Qui te mènent de long en large…
Je n'ose veiller, t'épier,
Vivre dans ta douleur, en marge
Si je savais chanter les lais
Que chantèrent les fées aux reines
Et qui endorment des palais
Si j'avais la voix des sirènes,

Je te soulagerais un peu
(Et déjà, ce serait énorme)
Mais hélas, hélas, rien ne peut
Contre ce mal. Ah! qu'il s'endorme!
Satisfait d'être chanté tant
Et d'habiter ta belle bouche
Que mon porte-plume le touche
Et qu'il se repose content. »

Autre poème pour adoucir les souffrances du jeune premier :

« Le portrait
Ciel qui nous mélangez ensemble,
Que Jeannot soit guéri demain
Que le mal sorte par sa main
Et devienne ce mal d'amour qui me ressemble. »

Jean Marais continue de voir Denham Foots. Cocteau comprend qu'il doit composer, non sans souffrance.

« Mon Jeannot bien-aimé,

Je te parle si mal que je veux t'expliquer mieux mes sottises. Je ne voudrais pour rien au monde ressembler aux "autres" et que tu puisses me croire "jaloux". Mon Jeannot, je ne savais pas qu'on pouvait adorer un être comme je t'adore. C'est au destin que j'en veux, pas à toi. Imagine ce rêve : s'adorer sans une ombre, sans une réserve, sans une fausse note. C'est hélas, impossible. [...]

Mes révoltes, mes souffrances ne viennent que d'un pauvre réflexe animal. L'idée de toi entre les bras d'un autre ou tenant un autre dans tes bras me torture. Seulement, je veux m'y habituer et savoir que ta bonté infinie m'en a de la reconnaissance.

Je te demande surtout de ne te gêner, de ne te contraindre en quoi que ce soit et, je te demande de mesurer ma peine et de la rendre supportable. Un geste, un mot, un regard de toi suffisent. Je ne suis pas "jaloux" de qui tu aimes, je l'envie et ma douleur est de ne pas être, de ne plus être digne de cette immense joie. J'ai fait l'expérience hier. J'étais aussi triste que toi des ennuis de Denham. J'aurai haï quelqu'un qui m'aurait cru capable de m'en réjouir.

Bref, j'aimerais, puisque me voilà privé d'amour et presque d'air respirable, devenir une espèce de saint. Car ce qui me resterait serait le vice et je m'y refuse. Mon bel ange, je t'adore, je te le répète. Je ne cherche que ton bonheur.

Ton Jean. »

Accepter que l'éphèbe se change en fils ? Laisser Marais libre d'agir à sa guise, tout en exigeant de garder la priorité affective ? L'année 1939 n'est pas très facile pour Cocteau, fou d'amour mais conscient des chausse-trapes de leur itinéraire sentimental. Et c'est sans Jeannot que Cocteau s'exile à l'hôtel Vatel de Versailles pour travailler à *La Machine à écrire*. Le manuscrit est achevé en cinq jours. Le poète écrit d'un seul jet, sans ratures.

Au début de l'été, *Les Parents terribles* font toujours salle comble et ne s'interrompent qu'avec le congé du mois d'août. Cocteau et Marais décident de partir en vacances dans un délicieux petit port du nom de Saint-Tropez. Ils descendent d'abord à l'hôtel Le Soleil puis finissent par émigrer à L'Aïoli. Cocteau semble moins en manque d'opium, lui qui glisse sous la porte de Jeannot :

> *« Ton soleil est plus fort que le soleil d'Afrique*
> *Contre lui je ne veux aucun vélarium*
> *S'il est vrai que je m'intoxique*
> *C'est de toi, plus que d'opium. »*

Le ciel azuréen semble sans nuage, et pourtant, le 3 septembre 1939, la France déclare la guerre à l'Allemagne. Jeannot est encore à Saint-Tropez. Ses camarades, qui doivent venir le chercher pour aller à la plage, sont vêtus d'un complet-veston de ville, cravate… Il leur crie :

— Mais qu'est-ce qui vous prend ?

— On est mobilisés ! Tu n'as pas lu les journaux ?

— Moi ? Non.

Puis le temps de comprendre, il répond :

— Mais alors… moi aussi !

— Quel numéro as-tu ?

— 6.

— Alors, tu y es. Il faut rentrer à Paris.

— Bon, convient Jeannot.

Retour dare-dare sur Paris du duo. Dans la capitale, Marais est soudain très inquiet : il a vingt-quatre heures de retard. Il dépose Jean Cocteau devant leur logis de la place de la Madeleine et ne monte même pas s'émouvoir un instant dans le sept pièces. Il file à Versailles endosser ses habits de soldat. Cocteau, resté seul dans l'appartement, écrit :

« Mon Jeannot,

À cette même table où je t'écrivais des poèmes, cette nuit je veux glisser sous ta tente une lettre d'espoir. Nous vivrons, nous revivrons, nous travaillerons, je travaillerai double et triple pour toi et pour ta chance. Soyons braves et sous notre ciel. Attendre une catastrophe confuse n'était pas vivre. Tout ce qui arrivera vaudra mieux que ce doute. Et de toi ne peut venir que du soleil. Mon Jeannot si bon, si brave, je te bénis et je sais que nous vivrons encore des merveilles côte à côte. Dors bien.

Je suis toi. »

4

Drôle de guerre

DÉSORMAIS SEUL, Cocteau, à la demande de Coco Chanel, s'installe à l'hôtel Ritz, dans l'appartement de la couturière[1]. À Versailles, Marais apprend son affectation au 107e bataillon de l'air, à Amiens. Il sera d'abord engagé dans un régiment de Montdidier, dans la Somme. Pour lui, c'est une étrange période. Un jour, un chef d'escadrille, l'ayant aperçu, le fait venir :

— Quand on s'appelle Jean Marais, on se présente !

— Mon lieutenant, si j'étais allé vous trouver pour me nommer et que vous m'ayez dit :

---

1. Jean Cocteau, bouleversé par sa séparation d'avec Jeannot et par la perspective d'une guerre, erre misérablement dans le trop vaste appartement de la Madeleine, y laissant ouverte la porte de la chambre de Jeannot, comme si, par Dieu sait quel miracle, il pouvait s'y trouver. Coco Chanel l'invite alors à passer quelques semaines au Ritz.

connais pas, quel air j'aurais eu ? répond l'acteur.

La révélation de son nom l'isole encore un peu plus des autres soldats. Le médecin interdit aux autres officiers de le désigner pour les rondes, afin de lui éviter toute fatigue ! Aux yeux des soldats, il devient odieux. Il lui faut se faire pardonner. Ainsi, avec sa voiture, il conduit des camarades quelques heures dans leur famille proche, jusqu'à cent cinquante kilomètres de là. Il rapporte des cigarettes pour les autres. Ils s'amadouent. Bientôt, Coco Chanel lui propose d'être sa marraine. Il répond qu'il accepte, mais à condition qu'elle soit marraine de toute la compagnie. Ce sont alors des camions entiers de bouteilles de vin, de cigarettes, de vêtements qui affluent, des pull-overs de la meilleure laine de Shetland, des cuirs doublés de fourrure... Elle envoie même des vêtements aux enfants des soldats, dont elle a fait prendre les mesures. Elle dépense des millions. Jeannot est sacré. Il réussit quelque temps à être bien vu à la fois des officiers et des hommes !

Pour aller voir Jeannot, Jean a recours à une amie d'Yvonne de Bray : Violette Morris, coureur automobile. Elle ne porte que des costumes masculins et a les cheveux en brosse. Lorsqu'elle arrive à Roye, ses camarades annoncent à Jeannot que son frère et Cocteau le réclament. Jean passe la nuit à l'hôtel du Commerce, à Roye, où loge Jeannot. Désormais,

Cocteau espère une visite hebdomadaire, avec laissez-passer, pour rejoindre Marais et sa correspondance égrène les jours qui les séparent entre deux visites :

« *Jeannot,*
J'ai vu le bonheur sur ta figure et tu as vu le bonheur sur la mienne. C'est que nous étions ensemble. Rien de plus beau n'existe que notre ciel et que notre étoile. Rien de plus pur, rien de plus extraordinaire. Je ne pense pas que le diable ose se mettre entre nous dimanche et me barrer la route. Si cela était, il y aurait encore un motif céleste devant lequel je m'inclinerais et qui nous viendrait en aide. Mon Jeannot, je me couche pour rêver à nous et je te serre contre mon cœur. »

On trouva finalement un poste sérieux pour Jean Marais : guetteur de clocher de Roye, avec l'indispensable téléphone pour prévenir de toute approche aérienne allemande. Voici Marais installé dans une tour de soixante mètres de haut. Il monte dans sa chambre en empruntant un escalier tournant de quatre cent cinquante marches [1]. Au sommet de la tour, il y a un balcon

---

1. Dans *Mes quatre vérités*, Marais raconte : « Petit à petit, je m'étais installé. J'avais acheté des tapis, de grandes bonbonnes de verre que j'avais remplies d'eau colorée, j'avais fait des abat-jour moi-même ; j'avais couvert les murs de dessins, de photos de Jean Cocteau, de Coco Chanel, d'autres amis. Je n'aimais guère descendre ces 450 marches. Je le faisais une fois par jour, le matin, pour aller prendre mon bain à l'établissement de la ville ; mais pour manger, j'avais fixé à mon clocher une longue corde avec un panier accroché à l'extrémité. Le garçon boulanger d'en face le

où il se met nu pour prendre le soleil au printemps.

Cocteau, de son côté, a quitté le Ritz. Dès novembre 1939, il profite de l'hospitalité de Violette Morris, sur sa péniche *La Mouette*. Un petit bateau est amarré tout contre, *Le Scarabée*. C'est donc sur l'eau que Cocteau commence l'écriture de sa pièce *Les Monstres sacrés*. À Jeannot, dont le numéro de campagne est le 107, il écrit :

« Aide-moi, mon ange ; ouvre tes ailes de 107. Vole jusqu'à ma cabine et verse-moi ton soleil lunaire, le seul qui me réchauffe. Tes deux lettres de ce matin étaient des merveilles bien douces. Je crois que c'est à cause d'elles que j'ai fini l'acte. Le canon tonne. Je pense qu'on s'exerce au Mont-Valérien, car la sirène se tait. Mon ange, souffle-moi le 2ᵉ acte. Je t'adore. »

À Noël, Jean, qui souffre de l'absence de Marais, va le rejoindre à Roye. Le hasard fait bien les choses : une vieille amie, Thérèse d'Hinnisdaël, habite un château à quelques kilomètres de là, et les amis s'y retrouvent plusieurs fois durant l'hiver et le printemps.

Nulle trace dans leur correspondance d'une des inquiétudes de Cocteau : trouver de l'opium en ces

---

voyait descendre, il sortait ; je hurlais la liste des commissions : il me faisait le marché. Je remontais le panier. J'étais toujours nu, détendu, sans soucis. Après quelques jours d'accoutumance au bruit des cloches, je dormais bien sur mes hauteurs. Rien ne me dérangeait plus. »

temps troubles. Il finit par s'installer provisoirement à l'hôtel de Beaujolais, dans une chambre donnant sur les jardins du Palais-Royal. Comme Christian Bérard et Boris Kochno habitent là, il est possible que le trio ait pensé mettre en commun les ressources en opium. L'un de ses visiteurs, Roger Lannes, note : « Sa chambre, après quelques jours, ressemblait déjà à toutes celles qu'il avait occupées. C'est comme la coquille de certains crustacés, elle se reforme. »

Les Monstres sacrés sont bientôt mis en répétition avec Yvonne de Bray, Jany Holt et André Brulé dans des décors de Christian Bérard. La première a lieu au théâtre Michel, le 17 février 1940. Tout serait parfait si Jeannot était là. Jean multiplie les démarches pour le faire rapatrier à Paris. En vain ! Au printemps, les canons se mettent à tonner. Cocteau ne s'inquiète que pour Marais. Bientôt, *Les Monstres sacrés* sont repris aux Bouffes-Parisiens avec, en lever de rideau, *Le Bel Indifférent*, beau monologue joué par Édith Piaf. Le succès n'est pas totalement au rendez-vous. En actrice, Édith Piaf déconcerte !

Cocteau note : « Nous avons joué ce soir devant cent quarante personnes bien gentilles. [...] L'existence va devenir un problème car les impôts, eux, ne chôment pas. » Le moral est au plus bas. C'est le moment que choisissent le philosophe Emmanuel Berl et sa compagne, la chanteuse Mireille, pour inciter Cocteau à louer, dans leur immeuble du 36, rue de Montpensier, un petit appartement à l'entresol. Si la cuisine donne sur la rue et jouxte le théâtre du Palais-Royal, les fenêtres, dont celle de la chambre, ont vue sur les jardins. Cocteau est à deux pas du restaurant « Le Grand Véfour » et presque voisin de Colette, qui réside au 9, rue de Beaujolais. L'appartement se chauffe facilement. Cocteau y emménage et quitte la place de la Madeleine. Dans ce nouveau *home*, dont il fera l'acquisition après la guerre, il s'installe d'emblée un cagibi pour fumer l'opium. Le rouge y domine, mais le poète choisit du bleu pour la chambre de Jeannot. Les bibliothèques sont peintes en blanc sur fond vert fenouil, une lanterne mauve éclaire ce décor baroque. Dans *L'Inconcevable Jean Cocteau*, le comédien reviendra longuement sur ce lieu de vie qui abrita les meilleures années du couple : « Je revois la rue Montpensier. L'appartement était une sorte de cave éclairée par une lumière indirecte que réverbérait le sol du jardin. Dès notre réveil, il nous fallait allumer l'électricité... Un charme habitait avec nous, et ce charme commençait dès qu'on arrivait par la Comédie-Française ou par les marches de la rue de Richelieu ou encore par la rue de Beaujolais qui débouchait devant la maison de Colette. Par ces trois accès, on avait l'impression d'entrer dans une ville interdite. Les grilles du jardin, closes la nuit, ajoutaient à l'étrangeté du lieu. Le matin, elles s'ouvraient de bonne heure. Comme pour y accueillir la lumière toute neuve... La chambre de Cocteau était toute petite. En largeur, elle représentait à peine le double d'un lit à une place. C'était une sorte de cabine entièrement tapissée de velours rouge clouté d'or. La moquette était de la même couleur. Donnant sous les arcades, la fenêtre en demi-cercle et nommée demi-castor était entourée sinon d'ardoises, du moins d'un panneau de bois peint comme le sont les tableaux noirs des écoles. Une porte, faite d'un seul panneau de bois rectangulaire et peint également couleur ardoise, dissimulait une pièce secrète aménagée par Jean. Face à ce panneau-porte se trouvait en pendant un autre panneau d'ardoise. Fenêtres et panneaux disparaissaient le soir sous des rideaux du même velours rouge que les murs. Au milieu de la fenêtre, une colonne de marbre noir supportait un groupe de bronze de Gustave Doré. Il figurait Persée monté sur un cheval ailé et tenu en l'air par la longue lance qu'il a plantée dans la gueule du dragon, afin d'en libérer Andromède. La porte et les ardoises de sa chambre avaient été imaginées par Jean Cocteau. Il espérait que Picasso y dessinerait à la craie. Jamais Picasso ne lui donna cette joie, de sorte que ces ardoises, comme celles des autres portes du petit appartement, servaient seulement de pense-bête, qu'il s'agît d'inscrire des rendez-vous ou de se rappeler le travail à faire. »

Le désarroi du début de mai 1940 ne laisse pas au public le temps de lire un long extrait de l'essai signé de Claude Mauriac sur Jean Cocteau, qui paraît dans la *NRF* de juin, à laquelle Gide reste étroitement lié. Mais le poète, traité d'imposteur, reçoit le coup comme une trahison et, pour de longues années, Claude Mauriac devient la vipère qu'on a nourrie dans son sein [1]. Le 10 mai 1940, la Wehrmacht envahit le Luxembourg, la Belgique et la Hollande.

Dans son clocher, Marais fait toujours le guetteur, tandis que le village se vide. Les habitants s'en vont et le laissent seul avec les chiens et les chats abandonnés. Les gens de l'épicerie-mercerie-tabac, très gentils, lui confient leurs clefs, en disant : « Prenez tout, mangez tout, plutôt vous que les Allemands ! » Il y a du beurre et des boîtes de conserves de toutes sortes. Quelques jours après, des avions ennemis viennent bombarder le village désert. Les pilotes

---

1. Le fils de Mauriac ne fait pas dans la nuance en écrivant : « C'est au nom d'une littérature replacée dans sa dignité première que le critique doit aujourd'hui se dresser en accusateur public. Selon la formule de toutes les révolutions, les coupables aussi haut placés soient-ils et quelque grands qu'aient été leurs plus authentiques titres de gloire, doivent être dénoncés. Cette enquête sera compliquée du fait que des écrivains qui se font de leur art l'image la plus noble ne sont pas toujours ceux à qui fut accordé le plus de talent. En publiant ces pages consacrées à Jean Cocteau en qui je vois l'un des principaux responsables de la dégénérescence que je poursuis, j'offre une monographie préliminaire à l'étude plus générale qu'il faudrait écrire et qui traiterait de "La Littérature Avilie". Claude Mauriac. »

allemands font des cercles autour du clocher et, de sa terrasse, Marais, tout nu, exécute une danse du scalp, les bras levés, afin de souligner l'absurdité de la situation. « J'étais fou de joie, parce que je ne risquais rien », reconnaîtra-t-il. Son téléphone étant définitivement coupé, il emprunte alors la bicyclette du boulanger pour rejoindre sa compagnie, où il est fort mal accueilli : « Que faites-vous là ? s'insurge son capitaine. Retournez immédiatement dans votre clocher ! » Il obéit, croise des bandes de soldats qui le regardent d'un air soupçonneux. On le prend pour un membre de la cinquième colonne, un traître. Il regagne en hâte son havre. Se souvenant finalement de la présence du guetteur, la compagnie envoie une camionnette pour le chercher. « En route pour Port-Bou », lui crient ses camarades en riant ; c'est la pleine débâcle. Ils partent à destination de Bordeaux. Lui et ses compagnons commencent par faire une halte dans la forêt de Compiègne. Là, tout à coup, Marais voit un chien : attaché à un arbre, assis sur son derrière, les oreilles droites, il regarde tout le monde passer. Personne n'ose s'approcher de lui. Pour Jean Marais, c'est comme un coup de foudre. Il va vers l'animal et le détache. Le chien saute autour de lui pour lui faire fête. Jeannot le prend sur son dos et ils ne se quitteront plus. Des civils disent le connaître, il appartient à des gens de Compiègne et s'appelle Loulou. De fait, il répond à ce nom-là. Marais l'appelle « Moulouk » pour qu'il soit désormais à lui, sans être trop dérouté dans ses habitudes. Il couche près de lui, sous une petite tente qu'Yvonne de Bray lui a envoyée, et, dès le premier soir, il grogne quand on s'approche de son nouveau maître : il le défend déjà. Jeannot le présente à Cocteau au cours d'une halte à Neauphle-le-Château, d'où il a pu l'alerter pour qu'il le rejoigne.

Les retrouvailles sont brèves et chacun doit se séparer. Marais et les siens vont prendre la direction d'Auch. Jean regagne Paris pour faire ses valises et écrit à son ami :

« Mon Jeannot,

Je t'écris encore pendant que nos amis B. préparent leurs valises : il faut partir cette nuit. C'est le rêve qui continue. Je te rêve avec moi. Je voyagerai sous notre étoile. Notre étoile ne nous trompera pas. J'ai tant prié que Dieu nous réunira vite. Mon ange, je te conjure de penser à notre "but" et de n'opposer aucune fierté à la force si tu te trouves en face d'elle. Accepte et ferme les yeux. Tu me verras. Tu verras notre cœur – notre Palais-Royal – notre ange dont les calculs nous échappent.

Je te bénis. »

C'est l'éditeur de Charles Trenet, Raoul Breton, et sa femme, qui ont offert une place dans leur voiture à Cocteau, comme invité. Voici comment, dans les *Entretiens* avec André Fraigneau, le poète raconte l'histoire : « Ces amis avaient tout empilé, coffres et fourrures, dans leur bagnole, et ils m'avaient dit : "Viens à Perpignan parce que nous y avons une grande maison ; tu auras deux chambres." Et puis, sur la route, la maison diminuait. C'était devenu un appartement. Et plus la route s'allongeait, plus l'appartement diminuait. À la fin, il n'y avait plus qu'une chambre pour eux quatre. Alors, ils m'ont déposé chez le docteur Nicolau… »

Mécène catalan, entouré de domestiques et d'artistes, le docteur Pierre Nicolau est un ami précieux. Le premier à profiter de sa générosité est Raoul Dufy. Réfugié à Céret, le peintre se trouve dans une détresse morale, physique et matérielle quand le médecin le ramène à Perpignan, l'hospitalise, l'héberge chez lui à la demeure familiale rue de la Poste (aujourd'hui rue Jeanne-d'Arc). Le salon est aménagé afin qu'il puisse y installer son atelier. Lorsque Cocteau arrive, on lui offre une chambre du premier étage. Seul dans sa pièce, il fume de l'opium et fascine les enfants, Jacques, Simone et Bernard, avec une boule d'ambre que Cocteau roule sans cesse dans la paume de sa main. Chez les Nicolau, on croise le sculpteur Manolo Hugué ou la pianiste Yvonne Lefébure. Mais Cocteau préfère rester alité de longs jours, trop préoccupé par le sort de son amant. Comme des bouteilles jetées à la mer, il écrit une lettre quotidienne à son bien-aimé. Un jour, c'est :

« *Mon fils chéri,*

Encore – chaque jour – quelques lignes au hasard du désordre et du drame. Puisse une de mes lettres t'atteindre n'importe où.

Chez le Dr Nicolau – rue de la Poste – Perpignan. Pyrénées-Orientales. J'attendrai avec le courage que je te dois le miracle d'un signe de ta main. J'attendrai sous notre étoile. J'attendrai quoi qu'il advienne.

Je te bénis. »

Et un autre jour, c'est :

« *Mon enfant chéri,*

Sans nouvelles de toi. J'essaie de vivre avec ton image et la certitude que ton étoile et mon étoile te protègent.

Si par une chance incroyable cette lettre t'arrive, écoute : à la moindre égratignure, à la moindre foulure – fais-toi évacuer sur Perpignan où le docteur te prendra dans son service. Je ne bougerai pas d'ici et de la campagne afin d'avoir un point d'attache. Tu possèdes notre adresse. Je ne risque rien.

Je te bénis. »

Si son futur d'écrivain l'inquiète, si son avenir tout court le préoccupe, c'est le sort de Jeannot qui le soucie. De doux courriers finissent par arriver :

« *Mon bon ange,*

Enfin, le miracle attendu ! Deux lettres de toi qui m'annoncent ce que je devinais à force de rencontrer partout des ailes orange : tu t'approches. Mais quel dommage que tu ne penses pas à m'indiquer notre route exacte. Nous irions vite en auto. Et ton adresse ? Est-elle la même ? Je n'ose envoyer des sous (du reste nous sommes ruinés) avant d'être certain qu'ils t'arrivent.

Si cette lettre te parvient, écris-moi chez les Nicolau, notre vraie famille (les Breton sont en Algérie) et donne des exactitudes. Trouve le moyen soit de mettre ta lettre à la poste du village, soit de me dire où je peux télégraphier – chez un civil. Trouve-le comme à Roye. Je suis tellement heureux que je n'arrive pas à comprendre le drame qui nous frappe. Je sais que nous aurons toujours la force de travailler et de triompher. Accours par n'importe quel moyen.

Vive notre étoile. »

Enfin, après plusieurs semaines d'incertitude, arrive Jeannot. Il vient d'être démobilisé à Auch et il accourt, tel un héros, flanqué de son chien Moulouk. Il porte le blue-jean des *Parents terribles*, une chemise de soie et un gilet d'opossum. Il est hâlé, joyeux, infiniment séduisant. Il s'installe avec Jean dans la chambre du premier étage. Les enfants Nicolau adoptent Marais et son chien comme des membres de la famille.

L'été, tout ce petit monde part chercher la fraîcheur à Vernet-les-Bains. La vie de cure thermale est bienfaisante et, pendant ce séjour, Cocteau écrit une nouvelle version de *La Machine à écrire*. Quelques visites rompent cet été studieux. Joseph Kessel et Arletty passent dans la région dire bonjour. Jeannot lit des classiques et se convainc de monter *Britannicus* dès qu'il pourra. En septembre, on regagne la capitale catalane. De Paris, les nouvelles semblent meilleures. Roger Capgras ne demande-t-il pas à Cocteau et Marais de reprendre *Les Parents terribles* ? Le couple décide de rentrer par le train. Après un interminable voyage, ils arrivent dans une capitale occupée et gagnent le Palais-Royal, havre de paix bien fragile.

5

Le Dernier Métro

À PERPIGNAN, Cocteau et Marais ont laissé une atmosphère étrange, curieux mélange de soulagement, de vacances improvisées et de lourdes menaces. Le gouvernement présidé par Pétain s'est installé à Vichy le 17 juin et, cahin-caha, la France coupée en deux tente de retrouver un équilibre.

À Paris, le décor est en trompe l'œil. La capitale qui n'a pas été touchée par la bataille s'est d'autant plus rapidement remise à vivre d'une vie superficielle et nécessaire que les Allemands y viennent, autant en souvenir des longues et dures batailles de 1914-1918 qu'en récompense des victoires éclairs de 1940, et veulent profiter de leur conquête. Il n'est pas question que la ville des plaisirs se refuse et elle ne se refusera pas.

Il serait cependant faux d'imaginer Paris tout entier aux pieds du vainqueur. L'activité artistique est intense. Cinémas, théâtres, expositions font des recettes miraculeuses. Les livres s'arrachent et certains, consécration suprême, se vendent au marché noir. La cause de ces étonnants succès tient, tout simplement, à la difficulté des transports, à la pénurie d'essence, au couvre-feu, à la monotonie de la radio de guerre devenue une radio de propagande. Casaniers par obligation, comment les Parisiens ne se précipiteraient-ils pas sur les rares distractions encore possibles ? Ces Français qui vont au théâtre, au cinéma, dans les expositions, qui dévorent des milliers de livres inspirés le plus souvent des sentiments patriotiques et conformistes que le désastre a mis à la mode, ces Français qui s'intéressent surtout aux problèmes de plus en plus aigus de la vie quotidienne : la lettre du prisonnier, l'arrivée d'un colis de province, le charbon qui s'épuise, l'huile qui baisse, le lait introuvable, les tickets qui font défaut, les enfants qui maigrissent, le pardessus à faire retourner, les salaires qui n'en finissent pas de courir derrière les prix et ont d'avance match perdu, vont être des consommateurs de culture assoiffés : l'Occupation va être d'un bouillonnement culturel et artistique rare.

Pourtant, le gouvernement de Vichy fait vite régner sur les deux zones une vague de moralisme et Cocteau et son œuvre vont faire l'objet de persécutions et d'attaques particulièrement venimeuses. D'emblée, le 5 décembre 1940, l'écrivain oppose son credo face à un pessimisme morbide et publie dans *La Gerbe* une *Adresse aux jeunes* qui se termine ainsi : « Pensez, écrivez, adorez, détruisez, fondez de petites revues. Montez des spectacles. Piétinez-nous si possible. Croyez-en un spécialiste du destin et de ses mystères. Saisissez vite votre chance. Elle est là. »

Cocteau soutient Marais qui veut monter *Britannicus* et encourager toutes les troupes et tous les auteurs à créer. Le poète veut ranger sous sa bannière les jeunes talents se plaçant sur le plan de l'art et refusant toute option politique ou morale. Ce sera sa position durant toute cette période troublée. Peut-on, à ce stade, l'accuser d'une forme de légèreté et d'inconscience, dans ce Paris où, dès le début de l'Occupation, le théâtre vit une époque exceptionnelle tant le public aime s'y retrouver et s'y réchauffer ? Cocteau ignore encore que Lucien Rebatet et Alain Laubreaux déverseront des tombereaux de boue sur son œuvre. Lui, qui s'est plaint souvent d'être insulté et méprisé, va l'être vraiment. Ernst Jünger, qui le voit fréquemment à Paris à cette époque, écrit dans son journal, après avoir déjeuné avec lui pour la première fois chez Paul Morand en compagnie de Gaston Gallimard : « Cocteau sympathique et en même temps tourmenté comme un homme séjournant dans un enfer confortable. »

Le Palais-Royal est son doux refuge. Cocteau ne note-t-il pas dans un carnet : « Le Palais-Royal est une petite ville dans la ville, entourée d'une muraille chinoise, d'immeubles qui se chevauchent, qui penchent, qui s'écrasent, qui se compénètrent et que trouent des escaliers à pic et des passages sordides donnant sur Paris. La nuit on ferme la grille de ces passages pleins de chats noirs. On ferme les grilles du Palais-Royal. On ferme la ville des fantômes de la révolution » ? C'est l'époque où Serge Lifar règne sur la danse à l'Opéra, lance Janine Charrat, Ludmilla Tcherina, Renée Jeanmaire. On danse aussi sur la scène de L'Alcazar, du Casino de Paris, des Folies-Bergère, de Tabarin, du Lido, où les tutus sont remplacés par des aigrettes, des plumes, du strass, des paillettes. Tino Rossi, Maurice Chevalier et Mistinguett donnent le la d'une apparente gaieté. Sacha Guitry, Elvire Popesco, Gaby Morlay triomphent au théâtre malgré le couvre-feu établi dès le 15 juin 1940. Malheur à qui rate le dernier métro [1].

Pourtant, depuis la loi d'octobre 1940 portant sur le statut des Juifs, sont frappés par la loi les producteurs Pierre Braunberger, Jacques Haïk, les frères Hakim, les frères Nathan, Adolphe Osso, Simon Schiffrin ; sont frappés les réalisateurs Jean et Marie Epstein, Max Ophuls, Henri

---

1. Marais écrira même : « Le dernier métro est merveilleux. Aussi bondé que les autres. Il transporte le Tout-Paris. Tout le monde se connaît, parle du dernier concert, de ballet, de théâtre. Dehors, c'est le black-out, les chefs d'îlot, les rondes d'Allemands, les otages, si on a dépassé l'heure du couvre-feu. »

Diamant-Berger ; sont frappés les acteurs Pierre Dac, Marcel Dalio, Samson Fainsilber, Véra Korène, Jean Temerson et deux proches de Cocteau : Jean-Pierre Aumont et Marianne Oswald.

Le train-train quotidien est fait de semelles de bois, de topinambours, de rutabagas, de vélos-taxis. La difficile vie quotidienne en 1940-1941, avec ses mauvaises surprises, ses épuisantes courses au ravitaillement, sa peur du lendemain, contribue au triomphe du pétainisme. Les Français ont de trop nombreux soucis pour y ajouter ceux de la politique, à une époque où ne brille aucune lueur d'espoir de libération proche. Opprimés, désabusés, tombés du ciel de leurs certitudes, du petit paradis et des petits bonheurs qui étaient les leurs, engourdis moralement plus encore que physiquement, ils voient tous en Philippe Pétain – et ceux-là mêmes qui ne l'admirent pas – l'homme, le seul homme capable, non point de dissiper leurs misères, mais de les atténuer quelque peu…

Cocteau a lui aussi ses problèmes matériels qu'il épingle dans ses carnets : « État de mes finances : je dois deux mille francs à la banque. Donc, moins que zéro. On passe les sommes énormes que je déclare au fisc et que le fisc me redemande ? J'habite comme un moine dans une cellule et je mange comme un moine (et pas comme un moine d'Alexandre Dumas). La fuite de l'argent est une énigme. »

C'est le moment que choisit Jean Marais, en février 1941, pour mettre en scène et décorer *Britannicus* et jouer lui-même Néron. Jeannot offre Agrippine à Gabrielle Dorziat, Narcisse à Louis Salou et Burrhus à Henri Nassiet. Jacqueline Poul en Junie et Serge Reggiani en Britannicus complètent la distribution. Willemetz, qui a de la sympathie pour lui depuis *Les Parents terribles*, lui offre les Bouffes-Parisiens où il donne *Tovaritch*, pour les soirs de relâche et les matinées du jeudi. Puis un ami de Cocteau prête quinze mille francs : c'est peu, mais cela lui permet d'aller au marché Saint-Pierre dont le directeur et ami Edmond Dreyfus lui laisse de beaux tissus à des prix inespérés : le tout, pour environ cinq mille francs. Et il commence à couper lui-même les costumes dans sa chambre. Il a peur, mais il est sûr de lui. Se mettre en danger le fascine, même s'il a horreur des risques qu'il prend. De bons acteurs l'ont dissuadé de tenter Néron. « Tu vas te casser la gueule », lui dit Jouvet : cela l'encourage. Il aime lutter, relever des défis. Cependant, Gabrielle Dorziat ne doit pas avoir grande confiance dans ses talents de costumier, car Marais reçoit bientôt un coup de téléphone du couturier Robert Piguet qui s'offre à tout faire gracieusement. Il accepte. Les répétitions commencent. Jeannot est si jaloux de son travail qu'il interdit à Cocteau l'accès de la salle. En fait, il ne fait rien sans se demander ce que Jean ferait lui-même, comment il jugerait ses résultats.

« J'avais tant parlé avec lui de tous les problèmes de cette représentation, du jeu des acteurs célèbres dans les mêmes rôles que je me dirigeais d'instinct vers ce qu'il souhaitait », expliquera Marais. L'influence de Cocteau est omniprésente ! Mais son orgueil d'homme de vingt-cinq ans ne veut rien admettre et il croit être seul à tout inspirer. Il a trop besoin de cet aveuglement volontaire et de cette mauvaise foi pour croire en lui.

Le public est enthousiaste, les journaux le sont moins, la presse « collaborationniste » en tête ! Le spectacle est précédé d'une *Préface parlée* par Jean Cocteau car il soutient le spectacle de tout son pouvoir, assure lui-même la présentation d'une soirée de gala, mais après quelques semaines, Albert Willemetz lui écrit pour l'avertir de sa décision d'arrêter le spectacle. Les faux amis ne cessent de se manifester. Pendant *Britannicus*, Marais reçoit une lettre très élogieuse de Maurice Sachs, l'auteur du sulfureux *Sabbat* :

« *Mon cher Jean Marais,*
Je sais combien vous avez peu de raisons de m'aimer et ce sont des raisons que j'aime et que je respecte. Il y a quinze ans, aimant Jean comme je l'aimais, et comme vous l'aimez, j'eusse haï quiconque eût été avec lui ce que j'ai été depuis quelques années.
Cela pourtant ne peut m'empêcher de vous écrire du fond du cœur que votre spectacle de Britannicus *est admirable, au sens le plus fort et le plus grand du mot. C'est une réussite entière, extraordinaire, émouvante,*

grâce à laquelle on entend enfin ce texte sublime qu'on n'a jamais écouté qu'au profond de soi-même. Vous avez joué un Néron inoubliable. L'hystérie, la grâce, la force naissante, ce dernier sursaut de vertu, cet entraînement vers le mal : tout y est. Quant au silence dans lequel vous écoutiez Agrippine, c'est un des plus beaux que j'ai jamais "vus" au théâtre.

Je suis sorti de la représentation bouleversé, heureux. Je me sentais vingt ans. Je reprenais espoir en une jeunesse si bien douée, si bien décidée, qui voit et sent juste. Je vous dis bravo de tout cœur et voudrais encore vous applaudir.

Votre Maurice Sachs. »

Le lendemain, il frappe à la porte de sa loge : « Je ne veux ni vous voir ni vous parler, lui dit Jean Marais. Le jour suivant, Jean Cocteau reçoit, de son côté, une lettre :

« Cher Jean,

Depuis huit jours je n'entre pas dans une maison sans y parler de l'interprétation de Britannicus *avec feu. Je me donne la peine le mardi au théâtre de louer des places pour le mercredi. J'y amène des amies femmes d'un milieu que je sais excellent pour bien parler de ce qu'on admire et attirer du monde, l'une d'elles étant d'ailleurs la meilleure amie d'André Lichtwitz, Geneviève Leibovici ; je me réjouis d'applaudir encore une fois des jeunes gens qui font un si grand et bel effort, le tout avec désintéressement certes, et je n'entre, imprudemment mais naïvement, dans la loge de Jean Marais que pour m'entendre dire : "Je ne veux pas vous dire bonsoir."*

Je venais d'applaudir de trop bon cœur pour entamer une dispute, mais que de hauteur, d'assurance dédaigneuse chez un jeune homme qui ignore quelle part de fange et de sable propre contiennent l'âme et le corps de l'homme ! Il fait sienne une querelle dans laquelle il n'est rien, ou bien il juge. On juge toujours à tort et à travers.

Je ne lui en veux pas, mais il m'a peiné. Tant pis. J'espère que nous écarterons entre nous, vous et moi, les obstacles qui se redressent toujours.

Je vous embrasse.

Maurice. »

Marais enchaîne avec les répétitions de *La Machine à écrire* au théâtre des Arts de Jacques Hébertot. Ce n'est pas le meilleur texte de Cocteau. La pièce brasse le thème des lettres anonymes en train de bouleverser une ville entière. Les auteurs supposés de ces lettres s'accusent mutuellement sans que le juge d'instruction chargé du dossier parvienne à démêler le vrai du faux. Pour Jean Cocteau, cette enquête est un moyen habile de faire pénétrer le spectateur dans « l'âme impulsive et trouble d'êtres fantasques qui savent si bien jouer du mensonge et du mystère ». La pièce, au départ, ne désigne aucun coupable. Mais cette conception dramatique déplaît à la comédienne Alice Cocéa, pour laquelle elle a été écrite. Celle-ci, soutenue par son producteur de mari et même par le metteur en scène Raymond Rouleau, exige que l'auteur modifie l'intrigue et que l'enquête du juge débouche sur une mise en accusation claire. Cocteau, après avoir résisté, cède sous le nombre [1]. Pour Marais, Cocteau a spécialement écrit un double rôle : « Je ne lui offre aucun des avantages du Michel des *Parents terribles*. Il joue deux frères : Pascal, presque un comique, et Maxime, l'amoureux du drame. Il possède mon style, cent pour cent. » Dans cette mise en scène de Raymond Rouleau et des décors signés Jean Marais lui-même, ce dernier retrouve Gabrielle Dorziat, Michèle Alfa et Louis Salou.

La présentation au public de *La Machine à écrire* a été fixée au 29 mai. Nul n'a assisté aux répétitions. Or, le 12 mai 1941, la revue collaborationniste *Je suis partout* sort, avec un article quasi diffamatoire sous le titre : « Marais et marécages ». Sous la plume du collaborateur François Vinneuil, pseudonyme de Lucien Rebatet, on peut lire : « Les mœurs d'un littérateur nous sont indifférentes aussi longtemps qu'elles ne marquent pas ses œuvres. *La Machine à écrire* résume vingt années d'abaissement, de complaisances pour toutes les turpitudes du corps et de l'âme. Il est trop facile d'y lire en filigrane les perversions physiques et intellectuelles au milieu desquelles son auteur n'a cessé

---

1. Dans *Mes quatre vérités*, Marais dit : « Pressé, harassé, Cocteau finit par céder. À mon sens, la portée était affaiblie, mais je n'osais rien dire, car les changements entraînaient une diminution très nette de mon double rôle : plaidant pour l'œuvre, j'aurais paru plaider pour moi. »

de se contorsionner... nous ne pouvons plus que mépriser Cocteau, le truqueur, l'énervé, le cuisinier de l'équivoque, des artifices les plus soufflés et les plus écœurants... il sautillait du cinéma au ballet, du surréalisme au travestissement des classiques en mascarades foraines. Son instabilité pathologique avait sans doute des excuses... Ce clown aurait pu être charmant. À cinquante ans, l'âge de la pleine maturité pour les vrais hommes, ce n'est plus qu'un jocrisse dégénéré. »

Quelques jours avant la première, un journaliste du *Petit Parisien* informe Marais d'un bruit bizarre : Alain Laubreaux, critique du *Parisien*, de *Je suis partout*, véritable Führer de la littérature dramatique, se prépare à « éreinter » Jean Cocteau. Il demande : « Comment le peut-il avant d'avoir vu la pièce ? » Le journaliste lui répond : « C'est un fait. *Ils* sont décidés. » Alors Marais le charge de dire à Laubreaux que ce parti pris est abominable, et que s'il met son projet à exécution, lui, Jean Marais, lui « casserait la figure ». Jeannot ignore si le message a été transmis, mais il sait qu'il tiendra parole.

Déjà, le spectacle est menacé par la censure et doit s'arrêter pendant deux soirs. Lorsque les représentations reprennent, Laubreaux, non content d'éreinter la pièce et tous ses acteurs, se livre à d'ignobles attaques contre Jean Cocteau, l'écrivain et l'homme privé. Naturellement, Marais n'est pas épargné. Laubreaux, dans ses articles du 16 mai et du 19 juin 1941, estime que

la pièce n'a été « sauvée de la chute scanda-
leuse » que par une excellente distribution – si
l'on excepte le cas de « monsieur Jean Marais
qui nous empêche, la soirée durant, d'oublier
monsieur Cocteau et tout ce qu'il entraîne avec
soi d'ordure et de sanie ». Aux yeux de *Je suis
partout*, Cocteau est « responsable de tout ce
qu'il a cassé et flétri, du cortège de jobards mondains, de pédérastes, des douairières excitées qui
gloussent au génie derrière ses pas ». Quant à la
pièce, ce n'est qu'un « déchet de Bernstein et de
Bataille » et relève du boulevard le plus grossier.

Quand Jeannot lit ces articles, son sang ne fait
qu'un tour. Il veut laver l'affront fait à son bien-
aimé. Un soir d'orage, après le spectacle, au restaurant « Au relais de Porquerolles », il dîne avec
Jean Cocteau et Michèle Alfa, quand on le pré-
vient qu'Hébertot le demande, dans un salon
particulier, au premier étage. Il monte les escaliers pendant que l'orage éclate et entre dans le
salon. D'abord, il ne voit rien, toutes les lumières
sont éteintes pour le *black-out*, les fenêtres
ouvertes. Dehors, il pleut à torrents, il tonne, il
fait de plus en plus chaud. Aux lueurs des éclairs,
il reconnaît le crâne chauve d'Hébertot et lui
tend la main, puis aperçoit un autre convive, un
familier. Il le salue lui aussi. Puis un troisième. Il
s'avance et se présente, mais l'inconnu ne se
nomme pas. Hébertot lui dit alors :

— C'est Alain Laubreaux.

Jeannot lui répond :

Jean Cocteau en dandy écrivain dans l'appartement familial,
au cinquième étage du 10 de la rue d'Anjou à Paris,
qu'il occupe depuis 1910.

14 octobre 1937 : *Les Chevaliers de la Table ronde* au théâtre
de l'Œuvre. Jean Marais campe le pur Galaad.
Avec Michel Vitold et Samson Fainsilber.

1943 : Jean Marais et son chien Moulouk,
co-vedettes de *L'Éternel Retour*.

Vers 1944 : Cocteau et Marais en maîtres fidèles de Moulouk.

Août 1945 : début du tournage de *La Belle et la Bête* en Touraine.

Jean Marais transformé en prince charmant dans les dernières
secondes de *La Belle et la Bête*, en 1945.

1947 : *farniente* sur la place Saint-Marc à Venise.

1947 : Jean Cocteau dans son appartement dont les fenêtres
donnent sur le jardin du Palais Royal.

Septembre 1947 : répétition de la pièce *L'Aigle à deux têtes*.
Jean Cocteau est aux anges,
avec Edwige Feuillère et Jean Marais.

1948 : Jean Cocteau et Jean Marais participent à une œuvre de charité.

7 mars 1949 : départ d'une tournée théâtrale au Moyen-Orient, que Cocteau a évoquée dans son livre *Maalesh*. Gabrielle Dorziat et Marcel André accompagnent les deux Jean.

Automne 1949 : Jean Marais et Jean Cocteau
sur le tournage d'*Orphée*.

Nice, 7 avril 1952 : trois monstres sacrés, Orson Welles, Jean Cocteau et Jean Marais à l'aérodrome de Nice.

1953 : Jean Cocteau, Francine Weisweiller
et Édouard Dermit, dit Doudou.

Jean Marais et Jeanne Moreau reprennent *La Machine infernale* aux Bouffes Parisiens.

Ph. Éclair Mondial/Sipa

20 octobre 1955 : Jean Cocteau fait son entrée à l'Académie française, en présence de la reine de Belgique et de Jeannot.

17 décembre 1955 : soirée de gala au Lido… Le poète et l'acteur restent complices malgré l'éloignement.

Ph. Éclair Mondiale / Sipa

Septembre 1959 : tournage du *Testament d'Orphée*.
Marais est en Œdipe et Cocteau en poète-narrateur.

Un couple pour l'éternité.

— Ce n'est pas vrai.

— Mais si.

— Si c'est vrai, je lui crache à la figure.

Et Marais de lui demander :

— Monsieur, est-ce que vous êtes Alain Laubreaux ?

Ce dernier répond par l'affirmative. Marais lui crache alors au visage. Le journaliste se lève et Marais, pensant qu'il veut se battre, le frappe. Le restaurateur, qui l'a suivi, les sépare, éperdu, gémissant :

— Pas dans un restaurant ! Pas dans mon restaurant ! J'irais encore en prison !

Marais lui répond :

— Bien, je l'attendrai en bas. Je lui casse la figure dehors.

Il descend et c'est au tour des convives du rez-de-chaussée de le supplier, Cocteau l'implore d'y renoncer :

— Reviens à toi ! Tu seras fusillé ! La Gestapo !

— C'est possible. La Gestapo, je n'en sais rien, mais j'ai dit que je le ferais, je le ferai…

Marais attend plus d'une demi-heure sur place. Laubreaux ne descend pas. Enfin, il le voit, avec Hébertot. Il a dû le croire parti. Il porte une grosse canne carrée, en bois clair. Marais se lève. Ils sortent. Il les suit. Dehors, il pleut toujours des cordes. Il met son chapeau et Hébertot lui dit :

— Tu mets ton chapeau pour nous intimider ?

— Non, pour ne pas être mouillé pendant que je casserai la figure à Alain Laubreaux.

Il s'avance, le rejoint et lui enlève sa canne par surprise. Là, il hésite : une grosse canne, aux angles durs ; s'il s'en sert, il le tue. Il la jette de l'autre côté du boulevard des Batignolles. Puis il se précipite sur lui, à coups de poings ininterrompus. Laubreaux tombe, l'arcade sourcilière ouverte, criant : « Au secours, police, au secours ! », sans se défendre vraiment. Marais n'a aucun mérite face à son lâche adversaire, mais il est comme fou et s'acharne... plus il frappe, plus il a envie de frapper. Et pendant qu'il le frappe, il scande : « Et Jean-Louis Barrault, qu'est-ce qu'il vous a fait ? Et Bourdet ?... » Il fait passer toutes les victimes du journaliste dans ses litanies délirantes, enragées. Sa colère assouvie, il rentre au restaurant et étanche sa soif en avalant de l'alcool. Bientôt, on l'entoure. Laubreaux arrive pour appeler police secours, mais le petit restaurant a déjà coupé le téléphone. Comme le conclura Jean Marais : « Et nous rentrons, Jean Cocteau et moi, à pied, sous la pluie battante. »

— On va être arrêtés, fusillés, lui dit Cocteau.

— Tant pis, que veux-tu y faire ? C'est fait, c'est fait. De toutes les façons, je suis seul en cause, lui rétorque Marais.

Le lendemain, le Tout-Paris alerté par le téléphone arabe félicite Marais. Plus tard, au cours d'entretiens avec André Fraigneau, Cocteau donnera par erreur une version légèrement diffé-rente ; il affirmera que « Laubreaux était un agent de la Gestapo » – ce qui est faux –, et situera l'incident à la sortie « d'un restaurant de marché noir », non loin du théâtre Hébertot, où tout le monde aurait dîné sans que Jean Marais reconnaisse Laubreaux attablé plus loin ; la bagarre aurait eu lieu à la sortie. Cette scène, transposée, a servi à une séquence du film *Le Dernier Métro* de François Truffaut. Paradoxale-ment, Cocteau se sent rassuré par la force phy-sique de Jeannot. N'a-t-il pas écrit dans une lettre : « Mon bon ange gardien, garde-moi, pro-tège-moi, donne-moi ta force et ton courage ! »

Sans doute faut-il voir aussi la force morale de Marais quand il convainc Cocteau d'entrer en cure de désintoxication à la clinique Lyautey. Pendant son absence, Jeannot fait disparaître tout son matériel de drogué et, à son retour, s'efforce d'éloigner tous ses amis intoxiqués avec lesquels il a eu l'habitude de fumer. C'est à cette époque que la Comédie-Française semble faire les yeux doux à Marais. À cette période, un bon mot circule à Paris : « La guerre sera gagnée par l'or américain, le sang russe, la ténacité anglaise et la Comédie-Française. » Double sens ? Allu-sion politique ? La noble maison de Molière est néanmoins symbole d'une « certaine idée de la France » et le restera pendant l'Occupation, mal-gré d'innombrables avatars et obstacles. Marie Bell le convainc de passer l'audition d'entrée.

Marais y est accepté à l'unanimité. Presse enthousiaste en cet été 1941. Un certain Max Francel le porte aux nues en première page de *Comœdia*. La semaine suivante, le même individu écrit un article atroce, alléguant que toute l'audition était truquée, son succès convenu d'avance, à preuve que Marie Bell lui donnait la réplique ; qu'il entrait dans la prestigieuse maison comme un larron pour faire main basse sur les rôles de Jean Wéber, de Julien Bertheau… ; « un fleuve de boue… » Marais, furieux, répond d'une lettre ouverte qu'il fait publier dans le même journal, à la même place. Il rétablit la vérité. Énorme scandale au Français : un jeune pensionnaire se permet de répondre lui-même, sans demander l'autorisation. L'administrateur, Jean-Louis Vaudoyer, le convoque :

— Comment avez-vous osé ?

— Mais c'était à vous de me défendre, puisque vous m'aviez accepté ! C'était à vous de dire la vérité, puisque vous la saviez ! J'ai répondu parce que vous n'avez pas répondu vous-même.

L'atmosphère est rapidement pesante. Pourtant, Marais veut absolument y créer la nouvelle pièce de Cocteau : *Renaud et Armide*, pièce en vers, écrite spécialement pour Marie Bell et Jean Marais. L'œuvre est achevée le 27 août 1941. Ernst Jünger note bientôt dans son journal : « L'après-midi chez Madame Boudot-Lamotte où Cocteau a donné lecture de sa nouvelle pièce

Renaud et Armide [1] [...]. J'ai rencontré là, outre Gaston Gallimard, Heller [...] et l'acteur Jean Marais, un Antinoüs plébéien. » La pièce, en alexandrins, est, comme le dira le critique de *L'Illustration*, « un poème d'amour à quatre voix [...] conforme aux règles les plus strictes de la tragédie française du XVIIe siècle ».

Une autre lecture en est faite quelques jours plus tard. Jean Hugo racontera dans ses mémoires :

« Jean Cocteau lut sa tragédie de *Renaud et Armide* chez Mme Guiral, au Palais-Royal. Une bûche flambait dans la cheminée, sous un grand dessin du poète. Il se plaça à droite de l'âtre ; à gauche s'assirent Marie Bell et Escande ; par terre, sur des coussins, Mme Guiral, Jean Marais et Vaudable, gérant du restaurant Maxim ; et, en face du poète, couché au fond d'un fauteuil, Mme Colette. On avait jeté sur elle un manteau de loutre, qui laissait seulement dépasser, d'un côté, sa belle tête couronnée du buisson de ses cheveux, et de l'autre, ses orteils nus.

---

1. Cocteau a pensé à *La Jérusalem délivrée* du Tasse, une épopée du XVIe siècle qui est un des classiques de la littérature italienne. Le texte n'est pour lui qu'un simple point de départ. Il imagine que le roi Renaud, un croisé, retenu dans les jardins de la fée Armide par ses sortilèges, suscite la passion de sa geôlière. Pour obtenir des sentiments réciproques de la part de Renaud, Armide lui cède l'anneau qui est la source de ses pouvoirs. Mais elle sait que désormais, s'il lui donne un baiser, elle en mourra aussitôt. En revanche, Renaud, libéré, pourra se couvrir de gloire en délivrant Jérusalem. Elle se sacrifie pour lui sans regret.

Après le premier acte, Cocteau s'arrêta un instant. Mme Colette agita ses bras au-dessus de sa tête, qui semblait coupée et posée sur le dossier du fauteuil, et dit :

— C'est du grand classique !

Le poète reprit sa lecture. Les vers raciniens étaient un peu monotones. Mme Colette parut somnoler. Après le dernier vers, elle se leva et dit à Cocteau :

— Je ne dis rien de ta pièce ; tu sais très bien ce que tu as fait.

Le poète ne répondit rien, mais son visage devint blanc comme des cendres froides. »

Avant son entrée au Français, Marais a promis à Marcel Carné de jouer dans son prochain film, *Juliette ou la Clef des songes*. Huit jours de congé pour les extérieurs sont nécessaires. Vaudoyer refuse de les lui accorder et préconise comme solution qu'il démissionne :

— Démissionnez, et je vous reprendrai après votre film.

Il suit donc le conseil de l'administrateur mais, à la dernière minute, le film est annulé par les producteurs. Marais retourne donc voir Vaudoyer et lui annonce innocemment :

— Le film ne se fait pas, je suis libre.

— Vous vous fichez de moi ! La Comédie-Française n'est pas une porte ouverte !

Marie Bell, de retour de voyage, apprenant qu'elle n'a plus d'Hippolyte, se brouille elle aussi avec le jeune homme. Heureusement, le cinéma

le sauve du chômage technique. C'est modestement, sous les auspices de Jacques de Baroncelli,
que Jean Marais fera enfin ses vrais débuts à
l'écran, dans *Le pavillon brûle*, tiré d'une pièce
de Steve Passeur. Tourné aux studios des Buttes-
Chaumont, il donne la réplique à Pierre Renoir,
Bernard Blier et la vedette du film, Jean Marchat
que Marais va très vite juger désagréable. Dans
ses souvenirs, il note : « Vis-à-vis de Renoir,
Herrand, Marchat qui tournaient avec moi, j'ai
un peu honte des faiblesses de mon métier. Je ne
cesserai plus désormais de vouloir réparer
l'injustice par mon travail. Je ne m'étais pas
confronté avec le cinéma depuis mes figurations
dites intelligentes. Le trac, au lieu de me servir
comme au théâtre, me crispe, accentue ma gau-
cherie débutante. Il importe que je me fasse de
tous des amis pour qu'ils ne pensent plus à me
juger. Je trouvais mon jeu banal, ma voix insuffi-
sante. » Et pourtant, les producteurs du *Pavillon
brûle* proposent à Jean Marais *Le Lit à colonnes*
d'après le livre de Louise de Vilmorin, amie et
grande complice de Cocteau, mis en scène par
Denise et Roland Tual. Jeannot n'a pas plus tôt
donné son accord que Louise rencontre Alain
Cuny et dit : « C'est lui, c'est exactement mon
personnage ! » Marais se retire volontiers, au
grand soulagement des Tual, mais les choses n'en
restent pas là. Quelque temps après, les producteurs, très gênés, reviennent le voir : « Nous ne

savons plus quoi faire. Un jour Cuny veut tourner le film, un autre jour non et ainsi de suite [...]. On vient tout penauds vous demander si vous n'êtes pas vexé, si vous acceptez à nouveau... »

C'est en mars 1942 que Jeannot tourne *Le Lit à colonnes*, imagerie tarabiscotée qu'il gonfle d'un style intérieur très émouvant. Dans son journal du 23 mars 1942, Cocteau précise qu'il assiste en projection aux rushes du film : « Marais a une personnalité si violente, un visage si exceptionnel, qu'il gagne chaque fois qu'on le met en vedette et risque de perdre chaque fois qu'on l'efface. C'est l'emploi "héros" à la Comédie-Française. Il se tirerait des grands premiers rôles. Il se tirerait mal des bouts de rôle qu'on oblige les derniers venus à tenir. Sa carrière sera discutée tant qu'il ne sera pas poussé, d'office, au premier plan. »

Une mission qu'il va prendre très à cœur !

6

L'Éternel Retour

L E BOUILLONNEMENT CULTUREL et artistique de 1942 favorise la réussite de jeunes acteurs ou metteurs en scène.

Micheline Presle, Madeleine Robinson, Marie Déa, François Périer, Odette Joyeux, Bernard Blier, Gérard Philipe ou Danièle Delorme confirment des débuts prometteurs. Parmi les réalisateurs, dix-neuf débutent pendant l'Occupation, et non des moindres, puisqu'on relève, entre autres, les noms de Jacques Becker, Yves Allégret, Robert Bresson, André Cayatte, Claude Autant-Lara, Henri-Georges Clouzot, auxquels le départ de Jean Renoir, René Clair, Julien Duvivier, Jacques Feyder, a laissé le champ libre.

L'époque est pleine de paradoxes pour Cocteau qui note dans son journal : « Beauté prodigieuse de Paris en 1942. Les sirènes. La foule qui profite des alertes pour déambuler dans les ténèbres. Une fenêtre rouge. La Comédie-Française complètement illuminée. Les Allemands qui découvrent des France les unes sous les autres et déchiffrent des énigmes. Les voyageurs qui arrivent de zone libre, stupéfaits par la ville comme des vieilles dames de province en exil avec la cour. Les restaurants où se vend tout ce qui ne doit pas se vendre, malgré les punitions, les amendes, les fermetures. Les danses clandestines, les orchestres dans des caves, les insultes de la presse, les théâtres qui regorgent de monde, les jeunes acteurs qui émergent, les vieilles tragédiennes qui rejouent, la jeunesse qui grouille et qui nous donne à lire pièce sur pièce. Jean Marais poursuivi dans les rues par des grappes de jeunes filles qui veulent des autographes. Le soir, je longe la queue interminable qui attend le spectacle de la Comédie-Française. J'entre dans le Palais-Royal et, de cour en cour, de colonnade en colonnade, je rentre chez moi, dans la ville interdite, la ville chinoise, la ville italienne, la Padoue, la Venise, le Hong Kong des joueurs de Balzac. (Directoire ?) »

Jean Cocteau est en permanence le témoin de la nouvelle popularité de son protégé et note ainsi : « Mauvaise éducation fantastique des gens qui reconnaissent les acteurs de films et crient leur nom tout haut. Marais ne peut aller dans un restaurant ou dans le métro sans que la scène se produise. Et il n'a tourné qu'un film

médiocre ! Rôle médiocre (*Le pavillon brûle*). »
Le succès de Jeannot constitue pourtant une
douce satisfaction. En avril 1942, Cocteau note
dans son journal un épisode de leur vie quotidienne : « Nous allons manger des confitures à
la cantine de la Comédie-Française – au fond des
caves et du calorifère. À six heures, nous prome-
nons Moulouk au bord de la Seine. Quand nous
rentrons, foule de jeunes filles et jeunes gens qui
attendent devant la sortie des artistes. Ils se pré-
cipitent et nous entourent, presque à l'angle de
la rue Montpensier. Moi, je m'échappe, mais
Marais signe des autographes. On le délivre
enfin, mais les jeunes filles qui faisaient la queue
pour *Iphigénie* l'aperçoivent et recommencent. »

C'est l'époque où Marais prétendra avoir une
relation amoureuse avec une femme : l'actrice
Mila Parély [1], rencontrée sur le tournage du *Lit*

---

1. Actrice française née en 1917, pleine de charme et de
talent. Elle débute très jeune, en 1932, dans *Baby*, de Carl
Lamac, puis tourne sous la direction de Fritz Lang (*Liliom*,
1934), Pierre Grémillon (*Valse royale*, 1935), Sacha Guitry
(*Remontons les Champs-Élysées*, 1938), Georg Wilhelm
Pabst (*Le Drame de Shanghai*, 1938), Jean Renoir (*La Règle
du jeu*, 1939), Robert Bresson (*Les Anges du péché*, 1943),
Max Ophuls (*Le Plaisir*, 1951), Henri Verneuil (*Paris
Palace-Hôtel*, 1956). Au côté de Jean Marais, elle tourne en
1942 dans *Le Lit à colonnes* de Roland Tual, puis partage
la vedette de *La Belle et la Bête* de Jean Cocteau en 1945.
Elle fut l'une des femmes fatales du cinéma français et l'une
des rares amours féminines de Jean Marais.

à colonnes. L'actrice a été prolixe sur leur *love-story* : « Bien évidemment, je savais que Jean Marais était attiré par les garçons, mais cela ne m'a pas dérangée. Je n'étais pas jalouse. Cela a marché à merveille entre nous. Nous avons fait l'amour comme tous les êtres qui s'aiment et se désirent. Pendant deux ans, nous ne nous sommes pratiquement pas quittés. Nos amis et nos proches nous voyaient, sur le tournage ou ensuite en vacances, arriver au petit matin, ensemble, précédés de Moulouk, le chien de Jean, les yeux cernés de bonheur. Des journalistes me demandaient comment nous faisions l'amour. Je répondais : "À la papa !" Et Jeannot riait comme un gosse. »

Cocteau fut-il jaloux de l'intruse et en prit-il ombrage ? Selon l'actrice : « Jean Cocteau m'a toujours bien aimée. Je n'étais pas gênante, peut-être parce que je l'écoutais avec une grande attention et que je n'étais pas très féminine, plutôt genre garçon manqué. Nos relations amoureuses se sont terminées un peu avant *La Belle et la Bête*. Entre nous, il y avait 25 % de sexe, 75 % de tendresse… » Curieusement, le nom de Mila Parély est absent du *Journal de guerre* et si agacement il peut y avoir Cocteau n'en laissa jamais rien paraître puisqu'il confiera à Mila le rôle d'une des deux sœurs de *La Belle et la Bête*.

En fait, si Marais présente officiellement sa tendre et chère à Cocteau, ce dernier a la sage idée de les pousser au mariage en arguant qu'ils

feraient des enfants magnifiques. Marais préférera prendre la fuite. Cocteau a d'autres soucis :
la reprise des *Parents terribles* (qui est à nouveau
temporairement retiré de l'affiche) donne lieu à
de nouvelles attaques personnelles dans les journaux ; des bombes puantes explosent dans le
théâtre et des voyous, encombrant les passages,
montent sur la scène en criant des obscénités
contre le couple. Au milieu de tout cela, le poète,
fragilisé, s'accroche à Marais qui travaille à élargir son expérience d'acteur. Il commence à apparaître dans des films en tant que premier rôle,
dans *Carmen* en Italie, et en 1943 dans *L'Éternel
Retour*, dont nous reparlerons. Il continue à être
attaqué par les vichystes, mais il est refusé dans
un groupe d'acteurs résistants parce que, dit l'un
d'eux (Louis Jourdan), « Cocteau parle trop ».

En janvier 1943, Mme Cocteau, la mère du
poète, meurt à Paris dans un couvent où des reli-
gieuses ont veillé sur elle pendant ses dernières
années. Le 23 janvier, il l'enterre au cimetière
Montmartre. C'est l'époque où il rencontre Jean
Genet, qui a écrit en prison un vigoureux poème
adressé à un ami guillotiné, *Le Condamné à
mort*, et un roman *Notre-Dame des Fleurs*.
Lorsque Genet est remis en prison pour avoir
volé un Verlaine dans une librairie, Cocteau le
fait défendre par maître Maurice Garçon,
témoigne en sa faveur, et se félicite de son acquit-
tement. Depuis lors, l'écrivain évite la prison
et devient peu à peu une célébrité littéraire. La

fréquentation de Genet entraîne pour Cocteau
de nouvelles avanies dans la presse, et un jour où
il ne se découvre pas au passage du drapeau
porté par des volontaires qui vont se battre aux
côtés des Allemands sur le front de l'Est, il
est reconnu par des voyous vichystes qui le ros-
sent [1].

Cocteau se réfugie dans le travail. Il devient
évident que, s'il veut partager la vie de Marais,
il doit, qu'il le veuille ou non, s'occuper de
cinéma, et c'est pendant le séjour de l'acteur en
Italie qu'il commence, à cinquante-trois ans, ce
qui, malgré *Le Sang d'un poète*, ne peut être
appelé que son apprentissage. Après quelques
préliminaires, il entreprend la modeste tâche
d'écrire un dialogue pour un scénario intitulé *Le
Baron fantôme* – la mise en scène étant assurée
par Serge de Poligny –, une histoire destinée à
distraire les Français de leurs misères pendant
deux heures. Il y est question d'un château en
ruine, du spectre d'un baron, d'un trésor caché,
d'une histoire d'amour, et d'autres éléments
assez disparates, les personnages étant vêtus de
costumes romantiques des années 1840. Cocteau
se rend compte qu'un tel matériau ne peut être

---

1. Sur les Champs-Élysées, en août 1943, alors qu'il refusait de saluer le drapeau français porté par un défilé de
LVF manifestant contre le bolchevisme, il fut reconnu et
roué de coups. Le lendemain, il fait un autoportrait, intitulé
« Souvenir du compère Doriot », qui le montre avec son œil
gauche poché.

transmué que par un metteur en scène débordant de fantaisie ; voyant que ce n'est pas le cas de Poligny, il décide de faire un dialogue aussi amusant que possible et de jouer lui-même un petit rôle. Ensuite, l'illustre apprenti cinéaste s'essaie au scénario avec dialogues, et c'est pour tenir au courant Jean Marais du rôle qui l'attend à Paris que Cocteau et le producteur André Paulvé écrivent à Rome, pendant l'interminable tournage de *Carmen*[1]. Le projet est un Tristan contemporain, dans une adaptation de *Tristan et Iseult* en costumes modernes conçue par Cocteau et dirigée par Jean Delannoy.

Cocteau a d'autant plus de mérite à façonner la carrière de Marais que ce dernier lui impose la présence d'un nouveau *boy-friend* : Paul Morihien. Ancien maître nageur et ancien secrétaire de Paul-Louis Weiller, il est, à vingt-trois ans, un homme à femmes qui tente une carrière au cinéma. Marais le croise sur le tournage du *Pavillon brûle* et entame une *love-story* avec lui, allant jusqu'à partager son lit. Cocteau invite bientôt Morihien à venir dîner au Palais-Royal. Le charme du jeune homme fait merveille et Cocteau, au cours de la conversation, fait état des multiples problèmes que lui posent ses démarches avec les directeurs de théâtre, la Société des auteurs, les maisons d'édition, etc.

---

1. Prévu trois mois, le tournage de *Carmen* en Italie dura neuf mois.

Le jeune homme, vu ses fonctions précédentes, lui paraît pouvoir l'aider, il lui propose de devenir leur secrétaire à lui et à Marais. Ainsi se forme une espèce d'association, ou plutôt de *gentleman's agreement*, qui permet à Jean et à Jeannot de continuer à vivre dans une parfaite harmonie mais sur un autre plan que la passion initiale.

Cocteau n'a guère le choix et s'installe ainsi un compromis instable, une sorte de « ménage à trois » où personne n'est dupe et où tout le monde trouve son équilibre. Paul Morihien se révèle d'ailleurs un brillant autodidacte. Il finira par être, dès 1946, libraire-éditeur et se montrera toujours d'une loyauté parfaite envers Cocteau, allant jusqu'à éditer Jean Genet. Cocteau, lui, a compris qu'il vaut mieux, s'il désire que sa relation avec Marais soit toujours à l'abri du temps, qu'elle s'établisse sur une nouvelle base et lui écrit ce mensonge :

« Mon Jeannot,
Je dois t'expliquer mon point de vue. J'estime qu'il faut être un héros, toujours – même en ce qui concerne les moindres choses. Ton bonheur doit passer avant le mien, puisque ton bonheur fait mon bonheur J'arrive très bien à tuer en moi des révoltes ridicules et des sentiments égoïstes. Je te jure que cet essai de me mater est une victoire, et que la joie de voir ton visage éclairé l'emporte de beaucoup sur une mauvaise tristesse instinctive. Donc, sois libre et sache que tu me rends heureux en étant heureux. Ce qui me peinerait, c'est de

te sentir t'éloigner par délicatesse. Je te répète que c'est inutile et que j'adore ta présence sous toutes ses formes. Ne te gêne jamais d'aucun scrupule. Prouve-moi ton cœur en jouant Renaud comme seul tu en es capable. Cette collaboration me consolera du reste et nous portera très loin des petites hontes.

Je t'embrasse.

Ton Jean. »

D'après Marcel Schneider, « Jean Marais était d'une telle beauté qu'il avait tout le monde à ses pieds. Sans doute fanfaron, prétendait-il pouvoir faire l'amour jusqu'à six fois par jour. Cocteau était bien conscient qu'il ne pouvait avoir Jeannot rien que pour lui. » Selon le biographe Claude Arnaud, Marais était « insatiable. Les amants d'une nuit croisaient les prétendants d'une vie, on parlait d'un riche monsieur, propriétaire des magasins du Louvre, disposé à produire des films pour l'obtenir. » Le poète doit se révéler philosophe. Pour Marcel Schneider : « Cocteau aimait Marais à la folie et il était prêt à fermer les yeux sur les lubies amoureuses de Jeannot tant que ce dernier lui montrait que lui seul comptait. »

Le problème est surtout que Jeannot ne sait pas mentir et selon Marcel Schneider « la relation Cocteau-Marais fut ébranlée par les escapades de l'acteur. Il les racontait même à Jean qui ne se consolait pas de voir lui échapper celui dont il était éperdument amoureux. » Cocteau n'en est pas à un paradoxe près. Lui qui, honni

par les autorités vichystes et la presse collaborationniste, fait publier, en 1942, un texte à la
gloire du sculpteur allemand Arno Breker. Ce
Salut au sculpteur paraît le 23 mai, en lettres
capitales, en première page de l'hebdomadaire
Comœdia. Il connaît le créateur depuis l'avant-
guerre et s'est lié d'amitié avec lui. Le 15 mai
inaugure une gigantesque exposition des œuvres
de l'artiste, dans les salles de l'Orangerie aux
Tuileries. Le jeune Michel Ciry note dans son
journal : « Je relève avec tristesse la veulerie de
mes compatriotes devant l'ennuyeux et colossal
académisme d'Arno Breker. Ayant bien mal
tourné, cet élève de Maillol trône actuellement à
l'Orangerie où, d'une monumentalité qui n'est
due qu'aux dimensions, d'énormes faux dieux
trop musclés peuplent l'espace de leur vide ambi-
tieux. Et tout le monde ou presque, public
comme critique, salue très bas ce mauvais art
d'un régime exécrable, ainsi qu'il serait juste de
faire pour le plus indéniable génie. Pitié, indi-
gnité, colère. » Aux statues, « géantes, sensuelles,
humaines » dont parle Jean Marais, répondent
les propos pour le moins réalistes de Sacha
Guitry : « Si ces statues entraient en érection, on
ne pourrait plus circuler. »

Mais l'ironie n'est pas de mise. Ce texte
consterne Eluard et plusieurs proches qui
accusent Cocteau de se compromettre en fré-
quentant les plus en vue des occupants. Plus

tard, Cocteau dira à Édouard Dermit avoir obtenu, en échange de son article, par l'intermédiaire de Breker, que des travailleurs du cinéma soient dispensés du Service du Travail Obligatoire (STO) en Allemagne, même si son journal de guerre ne s'en fait pas l'écho.

Sans doute Cocteau, las d'être le bouc-émissaire de Vichy, des attaques de *Je suis partout* et des critiques moralisantes sur *Les Parents terribles*, cherche-t-il une protection. Par deux fois dans son journal, Cocteau précise que Breker lui a donné un numéro de téléphone personnel en cas de grave problème pour lui-même, Marais ou Picasso. Il recherche une sécurité illusoire en cette période troublée. Son *Salut à Breker* lui vaudra de passer, le 28 novembre 1944, devant le Comité de libération du cinématographe, chargé de « l'épuration », mais il sera défendu par Genet, Eluard, Aragon… Son étourderie, son incapacité à distinguer le réel de la fiction ont failli lui coûter cher.

Cette amitié avec Breker, intime de Hitler et artiste quasi officiel du IIIe Reich (bien qu'il n'ait jamais adhéré au NSDAP), est l'occasion pour le sculpteur d'offrir à Marais le projet d'exécuter sa statue, à condition qu'il vienne jusqu'à son atelier en Allemagne. Marais s'enflamme pour ce projet et annonce tout de go à Cocteau :

— J'irai en Allemagne. Breker est l'ami de Hitler. Je verrai Hitler. Je tuerai Hitler.

— Mon pauvre petit, répond Cocteau, tu rêves… Tu brouillerais peut-être tous les plans des Alliés…

Naturellement, Jeannot n'ira pas en Allemagne. D'ailleurs, il est retenu en Italie pour *Carmen* et ne reverra pas Breker [1].

Tandis que Cocteau fait monter *Antigone* d'Honegger à l'Opéra et surveille la mise en scène de *Renaud et Armide*, le reste de l'année est occupé par le tournage et le montage de *L'Éternel Retour*. Cocteau n'est pas le seul auteur à se montrer actif au cinéma. En 1941, soixante films français paraissent sur les écrans dont *L'Assassinat du père Noël*, premier film tourné par la Continental, *Madame Sans-Gêne* avec Arletty, *La Symphonie fantastique* et *Les Inconnus dans la maison*, produit par la Continental et adapté par Clouzot. *Mermoz* appartient au groupe des soixante-dix-sept films français réalisés en 1942. À l'affiche également, *Les Visiteurs du soir*, tourné en zone libre, réalisé par Marcel Carné avec un scénario et des dialogues de Jacques Prévert et Pierre Laroche, et une distribution prestigieuse. L'actualité cinématographique de 1943 est marquée par la sortie du *Corbeau*, parmi les soixante films produits. La Continental est

---

1. Réquisitionnés en 1945, les ateliers d'Arno Breker à Berlin et 80 % de ses œuvres sont détruits au bulldozer. Breker ne fera l'objet d'aucune poursuite après la guerre. Il sera condamné à 100 marks d'amende comme « suiveur » du régime. Il décède le 13 février 1991 à Düsseldorf.

encore le producteur, les dialogues sont de Henri-Georges Clouzot, un réalisateur qui aura, à cause de ce film, des ennuis à la Libération, et de Louis Chavance. *Les Enfants du paradis* est produit par Pathé-Cinéma, avec Marcel Carné comme réalisateur, Jacques Prévert comme scénariste et dialoguiste.

Tourner *L'Éternel Retour*, comme les autres films de l'époque, n'est pas une sinécure. Les restrictions de pellicule posent de nombreux problèmes tout comme celles de l'électricité. La production cinématographique doit sans cesse jouer avec la censure. Tout au long de la guerre, les décrets d'organisation, réorganisation, nominations, destitutions, se succèdent, témoignant de la difficulté de réglementer la profession dont l'organe le plus connu est le COIC (les plaisantins l'appellent le COUAC), Comité d'Organisation des Industries Cinématographiques. Ceci explique en partie les retards du tournage du film. Comme Jean Marais le raconte lui-même : « Jean Cocteau n'était pas satisfait des films qu'on me proposait. Je n'avais encore tourné que *Le Pavillon brûle* et *Le Lit à colonnes*. On venait de m'imposer *Carmen*. "Il faut, me dit-il, que j'écrive pour toi un grand film d'amour. Or, depuis que la littérature existe, il n'y a que deux grandes histoires d'amour : celle de Roméo et Juliette et celle de Tristan et Iseult. Tu seras Tristan [1]…" »

---

1. Que raconte ce Tristan *new look* ? Un très riche veuf, Marc (Jean Murat), possède un château où il héberge son

Cocteau ne songe pas encore à la mise en scène. Il confie à Jean Delannoy la réalisation de *L'Éternel Retour*. « Je me trouvais en Italie, achevant de tourner *Carmen* avec Viviane Romance, quand, après plusieurs mois, me parvint un télégramme de Paulvé, qui avait accepté de produire *L'Éternel Retour*, m'annonçant que le tournage allait commencer. J'eus quelque peine à me libérer : mais j'aurais tout sacrifié pour tourner un film dont je sentais que mon avenir dépendait[1]. J'avais même déjà fait, à

---

neveu Patrice (Jean Marais), sa belle-sœur Gertrude (Yvonne de Bray), son mari Amédée (Jean d'Yd) et leur fils Achille (Pierre Piéral), un nain malveillant. Un jour, Patrice ramène au château la blonde Nathalie (Madeleine Sologne) afin qu'elle épouse son oncle. Or, le nain empoisonne Nathalie et Patrice. Mais le breuvage est un philtre d'amour. Jaloux, Marc chasse Nathalie, qu'il enverra chercher lorsqu'il apprendra qu'elle est malade. De son côté, la sœur de Lionel (Roland Toutain), la brune Nathalie (Junie Astor), s'est éprise de Patrice. Elle consent à l'épouser s'il revoit une dernière fois sa rivale. Mais, blessé par le nain, Patrice meurt sans voir sa bien-aimée.

1. « À l'époque, la date de tournage ayant été retardée, Jean Cocteau m'avait conseillé de tourner un film en Italie, racontera Marais. J'avais à peine signé pour ce film que je recevais un télégramme du producteur de *L'Éternel Retour* me disant : "Nous comptons sur vous à la fin du mois pour le début du tournage." J'ai été tellement affolé que je me suis précipité chez le producteur du film italien, et je lui ai proposé de faire un film gratuitement après, s'il me rendait ma liberté dans l'immédiat. Il a été très étonné car il n'avait jamais entendu un acteur lui proposer de faire un film pour rien ! Il m'a dit : "Vous croyez donc tellement à ce film ?"

Rome, l'acquisition d'un certain pull-over dont les dessins, d'inspiration un peu moyenâgeuse, m'avaient paru convenir parfaitement au ton que Cocteau voulait donner à son film. J'étais loin de me douter que j'allais lancer une mode. Pourtant, c'est un fait : le chandail du héros de *L'Éternel Retour* allait être copié à des millions d'exemplaires. Mais on a presque toujours ignoré ses couleurs exactes. Je m'en souviens parfaitement après trente ans : les motifs étaient jaune pâle sur fond gris assez foncé. »

Le tournage va durer trois mois. Pour les extérieurs, tout le monde avait rêvé de la Bretagne. C'était oublier la guerre, qui interdit l'accès de cette zone éminemment stratégique. L'équipe se rabat sur le lac Léman, le Cantal et, pour les scènes d'intérieur, sur les studios de la Victorine. « Quand nous avons commencé, poursuit Jean Marais, Jean Cocteau était retenu pour la mise en scène de *Renaud et Armide* à la Comédie-Française. Lorsqu'il put venir se joindre à nous, il témoigna d'une rare délicatesse, se gardant de donner au réalisateur ou aux acteurs le moindre conseil. Mais, du jour au lendemain, du seul fait de sa présence, toute l'atmosphère du film se trouva transformée. » Dans son journal de juin 1943, Cocteau en est si conscient qu'il note : « Deux ou trois fois j'ai pu porter Delannoy et

---

Je lui ai répondu : "Oui, je suis sûr que c'est le tremplin de ma carrière !"»

les acteurs jusqu'au sublime. C'était plus par une tension intérieure, par une décharge d'ondes que par des conseils. Je me taisais, mais je m'épuisais dans ces décors qu'il fallait lâcher à la dérive. »

Pour le rôle de l'héroïne Nathalie, Cocteau a imposé Madeleine Sologne. « J'ai été embarquée dans le cinéma par hasard, raconte-t-elle. Un très bon copain m'avait dit : "Tu devrais faire du cinéma." Je n'y croyais pas. Pourtant, un réalisateur me proposait peu après un rôle de gitane dans *Les Filles du Rhône*. J'étais brune alors. Puis je tournai dans *Le Danube bleu*, *Adrienne Lecouvreur*, de Marcel L'Herbier, *Les Gens du voyage*, de Jacques Feyder. En 1939, je me mariai. Mon mari me fit connaître Cocteau. Après m'avoir vue dans *Fièvres*, avec Tino Rossi, en 1942, il me dit : "J'ai écrit une très belle histoire d'amour que tu feras avec Jeannot." Je lui demandai de me raconter cette histoire. Il me répondit : "C'est la plus belle." Le film n'en fut pas moins long à démarrer. Les producteurs n'y croyaient pas. Ils trouvaient le dialogue trop pauvre. Cocteau m'avait dit : "Je voudrais que tu aies l'air d'une mouette." Nous avons cherché ensemble ma coiffure. C'est moi qui l'ai trouvée. Jeannot et moi, nous nous sommes fait décolorer ensemble, car Cocteau tenait à ce que nos cheveux soient de la même nuance de blond. »

Sologne et sa coiffure, Marais et son pull feront un triomphe, copiés par des millions de gens. Cocteau impose aux jeunes de l'Occupation son univers. Comme le racontera Madeleine Sologne elle-même : « À la sortie du film, le succès fut immense. Ce fut pour moi une surprise. J'avais vu le premier montage sans le son. J'avais trouvé ça beau, mais long. En fait, les bruits, la musique, et surtout le texte, très pur, très concentré, de Cocteau, soulevaient l'image. À la première représentation, il y eut, à la fin du film, un silence ; puis les gens se levèrent et applaudirent pendant un quart d'heure. Il n'y eut que les Anglais pour, la Libération venue, voir dans *L'Éternel Retour* un film fasciste : parce que Jean portait des bottes et une culotte de cheval. » Mais le film est un succès populaire que la critique ne dément pas. Malgré tous ses défauts, l'atmosphère en est poétique, et il a un considérable pouvoir d'enchantement pour un public las de la guerre.

Marais attribue modestement une partie de son triomphe personnel, dans ce premier rôle important qu'il eut à jouer, à son pull-over et à son chien Moulouk (dont le numéro dans le film est en effet irrésistible). Mais l'idolâtrie dont il devient l'objet est le résultat de l'habileté que les producteurs ont mise à révéler son jeune charme et surtout de leur exploitation de son extraordinaire beauté, que lui-même et Cocteau considèrent comme une entrave à son développement comme acteur. (La publicité fait alors habilement état du désavantage qu'il y a pour lui à être si beau.) On ne pense jamais à Marais en tant que Tristan ou Patrice (le moderne Tristan du film) mais en tant que Jean Marais. Ce dernier est devenu en un film LA star de l'époque grâce à un grand film populaire.

Cocteau a toujours été fier de *L'Éternel Retour*, et il avait raison d'attacher de l'importance au fait que sa popularité constituait, pour lui et pour Marais, un tremplin pour leur triomphe conjoint à l'écran. Jean Cocteau dira : « J'ai fait *L'Éternel Retour* en espérant boucler la boucle éternelle : la boucle qui réunirait les amateurs et le gros public. Chaque œuvre nouvelle me représente un problème à résoudre. L'énigme semble prouver – en ce qui concerne *L'Éternel Retour* – que le problème est résolu. J'en suis très fier et je mets la plus grosse part de cette heureuse opération sur le compte d'une légende irrésistible dont les siècles ne peuvent épuiser le charme. »

Dans son journal du 15 octobre 1943, Cocteau peut légitimement écrire : « Le succès extraordinaire de *L'Éternel Retour*. Les lettres, les téléphones, les articles, les radios se bousculent. Même note partout : reconnaissance. Ce succès (on organise des services d'ordre aux portes des cinémas) me touche dans la mesure où j'avais visé un but difficile : réconcilier la foule et les amateurs. C'est chose faite. Amateurs et foule acclament le film, pêle-mêle, à chaque séance. Jean Marais, reconnu grande vedette. » L'intéressé en témoigne précisément : « Tandis que le film passait à Paris, écrit-il, des jeunes filles couchaient dans mon escalier... Les admiratrices campaient à la fois dans la rue Montpensier et les jardins du Palais-Royal. Nous étions cernés. Quand je sortais, elles m'escortaient, entraient dans le métro avec moi, remontaient à la suite, me raccompagnaient chez moi, guettant ma prochaine sortie. Dans les jardins, elles s'installaient sur des chaises, en rang, comme au théâtre. La scène était ma fenêtre... Une, de temps en temps, faisait le tour jusqu'à la rue Montpensier, sonnait à la porte, me demandait un autographe ou une bonne parole. Je me suis quelquefois mis en colère, je les ai chassées, insultées. Jean Cocteau m'a réprimandé, me disant que c'était un aspect du métier que j'avais choisi : j'avais voulu cela, je l'avais. Je me suis corrigé petit à petit et j'ai appris à être patient. Pourtant, je me souviens, un soir, sortant avec Jean Cocteau d'un théâtre où je jouais une de ses pièces, entouré, bousculé, menacé de cinquante stylos, soudain j'ai entendu, dans le tumulte, une voix : "Tiens, y a l'auteur... lui aussi il y est pour quelque chose." J'ai ressenti comme une honte qui a failli tourner en fureur. Cocteau m'a calmé d'un sourire. »

Le poète est heureux du triomphe du film, mais ne va pas tenter de continuer dans ce sens, d'exploiter un filon. Ce n'est pas dans son style qui est davantage d'innover et d'étonner.

7

Le Bel Indifférent

À L'AUTOMNE de 1943, Paul Morihien, qui a
des attaches en Bretagne, emmène Cocteau
et Marais au château de Tal Moor, entre Pont-
Aven et Port-Manech, où ils sont les hôtes d'un
vieil architecte cultivé et original, qui habite cette
demeure du genre « hanté ». Cocteau a l'intention
d'écrire une nouvelle pièce. Ce sera *L'Aigle à deux
têtes* [1].

---

1. Le titre sera très difficile à trouver : le manuscrit porte successivement *La Belle et la Bête*, *Azraël*, *Le Portrait du roi*. Les
textes dactylographiés : *L'Amour et la Mort*, *La mort écoute aux
portes*, *L'Apparition*, *La mort des amants…* Les journaux
annoncent *La Reine morte* (abandonné à cause de Monther-
lant). Dans le *Journal de la Belle et la Bête*, à la date du
11 décembre 1945, la pièce est encore intitulée *Azraël*. Dans le
numéro hiver 1945-1946 de *Vogue*, elle est annoncée sous le titre
de *La Chimère*. Il semble que son titre définitif ne sera adopté
qu'au dernier moment, pour la création.

La maison est froide à cause des restrictions. Marais a peur que Jean n'attrape mal à rester immobile dans une chambre glacée. Sans doute la tension et les forces internes qui l'animent le protègent-elles. Bientôt, il lui lit le premier acte. Étonné, Marais trouve que le monologue de la reine n'est pas assez vivant… qu'il devrait y avoir plus d'interrogations de sa part, que les silences exigés par son rôle devraient avoir force de répliques, qu'il lui appartiendrait alors à elle-même d'en nourrir ses réponses. Jean l'approuve. Il remanie son premier acte dans ce sens. Avant d'écrire, il a demandé à Marais quel genre de rôle il aimerait interpréter. Par jeu, comme on pose une colle à un copain, Jeannot lui a dit : « Je voudrais une pièce où je me taise au premier acte, où je pleure de joie au second acte et où je tombe d'un escalier à la renverse au troisième acte. » Ainsi, au premier acte, l'auteur a déjà accompli le miracle de ne pas le faire parler !

Son journal de tout le mois de décembre 1943 reflète le travail de l'écrivain face à son texte. Ainsi, note-t-il, le 11 décembre 1943 : « J'ai la même crainte, la même peur du vide, en face de mon deuxième acte que j'en avais, depuis un mois, en face de mon premier acte. Je triche. Je traîne. Je me mets à lire n'importe quoi. Ce deuxième acte doit être d'une telle violence, d'une telle audace psychologique, d'une telle tension intérieure que je crains la faiblesse de l'encre et du papier. »

La pièce est achevée à la veille de Noël. Cocteau la fait découvrir à Marais et Morihien. « Il nous la lit, comme toujours, à un rythme inimitable, de sa voix chaude, métallique. Il encercle les mots, supprimant presque toutes les liaisons », raconte Marais. L'action se situe dans un pays imprécis, mais le nom du château, Krantz, et ceux de la plupart des personnages possèdent des consonances germaniques. Quant à l'époque, aussi imprécise, elle se situe à la fin du siècle dernier. Cocteau ne se cache pas d'ailleurs d'avoir été inspiré par la mort étonnante de Louis II de Bavière – le roi fou qui fut l'ami de Wagner – et par celle de sa cousine Élisabeth d'Autriche, dite Sissi. Pour la création au théâtre Hébertot, en 1946, Christian Bérard concevra d'admirables décors baroques qui semblaient venus tout droit de Bavière, des châteaux de Neuschwanstein et Hohenschwangau. Comme dans les drames romantiques, l'action prédomine. Après l'assassinat de son mari, le jour même de son mariage, une reine, jeune et belle, est morte volontairement au monde. Elle vit enfermée dans ses châteaux, loin des intrigues de cour et cache à tous son visage. Elle attend son destin : « sa » mort. Un soir d'orage, paraît un jeune poète anarchiste, Stanislas, qui a pour mission d'assassiner la reine. Il ressemble au roi comme un frère. La reine et Stanislas s'aimeront. Mais cet amour est impossible. Stanislas s'empoisonne pour rendre la reine à sa vocation royale. Elle décide alors de commettre un acte que « toutes les femmes envisageraient avec horreur ». Jouant à Stanislas une atroce et grandiose comédie, elle se fait poignarder par lui.

Jean Cocteau, à qui certains reprochent avec véhémence son goût pour le baroque et son abandon à la « magie du verbe », aurait pu, ici, y donner libre cours. Or, sa pièce possède une rigueur classique. La règle des trois unités y est, à peu de chose près, observée. Et la langue, hautaine, douloureuse, faite de phrases brèves, de mots qui étincellent de feu et de glace, ne cède jamais au délire verbal. « Ma pièce, dit Jean Cocteau, est écrite en forme de fugue. Elle s'ouvre sur le thème de la reine. Au second acte, le thème de Stanislas prend sa place et les deux thèmes se résolvent pour s'enchevêtrer et lutter ensemble jusqu'à l'accord final de la double mort. Les deux scènes du comte de Foëhn, celle avec la reine et celle avec Stanislas, représentent les charnières d'un triptyque où chaque mot tient sa place de note, où la moindre faute de vocable commise par un acteur le jette dans un désordre où il ne retrouve plus son équilibre. »

Cet équilibre qui tient du miracle, qui exige pour se maintenir une précision d'acrobate et de mathématicien, c'est l'art de Jean Cocteau. Mais n'est-ce pas la définition même de l'art ? C'est aussi celle de Stanislas et de la reine que leur amour conduit « à la pointe de l'insoluble ». Car *L'Aigle à deux têtes*, c'est eux. Ils incarnent la pièce. La reine ne dit-elle pas : « Moi, je rêve de devenir une tragédie. Ce qui n'est pas commode, avouez-le. J'y travaille. Je me rature, je me déchire, je me recommence. On ne compose rien de bon dans le tumulte. Alors, je m'enferme dans mes châteaux » ?

Avec cette pièce, Cocteau a voulu faire un retour en arrière. S'éloigner des influences du cinéma, retrouver les grandes conventions théâtrales et les monstres sacrés qui, écrit-il dans sa préface, « de leurs tics, de leurs timbres, de leurs masques de vieux fauves, de leurs poitrines puissantes, de leur propre légende, formaient le relief indispensable au recul des planches et aux lumières d'une rampe qui mange presque tout ». Si le rôle principal féminin est prévu pour Marguerite Jamois, c'est finalement à Edwige Feuillère qu'il échoit, le jour de la mort de Jean Giraudoux, le 31 janvier 1944. Il verra en elle et Marais « un lion et une licorne, animés par une psychologie héraldique qu'il ne faudrait pas confondre avec la psychologie ».

Quelques jours après, Cocteau commence l'écriture du film *La Belle et la Bête*. Le lundi 28 février, il note dans son journal : « Dans quelques jours, je m'enferme et j'écris *La Belle et la Bête*. Je commence à en être malade, à ressentir tous les malaises qui précèdent un gros travail ! » Le lendemain, un billet dramatique lui apprend l'arrestation de Max Jacob. Il intervient aussitôt, mais c'est trop tard, le poète est mort d'une pneumonie avant sa déportation. Cocteau se réfugie dans le travail et le 29 mars annonce que l'écriture de *La Belle et la Bête* est achevée. Il en est particulièrement satisfait, lui qui note dans ses carnets : « J'ai terminé *La Belle et la Bête* hier soir. Je suis très fier de ce travail où je garde, d'un bout à l'autre, la fraîcheur enfantine du conte. J'ai imaginé de jolis truquages, assez simples et qui peuvent produire un grand effet, comme ceux du *Sang d'un poète*. On y parle le moins possible, et, cependant, l'histoire est claire et se déroule vite. »

Jean Marais, parti skier à Val-d'Isère avec Paul Morihien, est le premier à lire l'adaptation de Cocteau. Il est ébloui et ravi. Bientôt, lecture en est faite devant les producteurs et Marcel Pagnol. La veille, en ce mois d'avril 1944, Cocteau écrit ce qui semble être sa ligne de conduite en ces temps troubles : « Ne pas se laisser aller au pessimisme, aux conversations qui vous enfoncent davantage. Travailler, croire, se montrer peu, parler avec le moins de personnes possibles. Faire comme si l'avenir ne dressait pas une énigme effrayante. Remercier le ciel de la chance de chaque jour. Une seule politique : la noblesse d'âme. »

C'est l'époque où Jeannot prépare, pour le théâtre Édouard-VII, *Andromaque*. Il est Oreste, et Michèle Alfa, Hermione. Hermione doit épouser Pyrrhus (Alain Cuny) alors qu'elle aime Oreste, qui finira par tuer Pyrrhus. Andromaque

(Annie Ducaux) cédera-t-elle à Pyrrhus pour sauver son enfant ? La tragédie de Racine, selon Marais, doit être menée avec le sens des mots justes, précis, en se gardant bien de tout éclat déclamatoire. Cette *Andromaque* revisitée par ses soins, qui se montre avec violence, avec une cruauté neuve, choque presque tout le monde [1]. « Hier soir, la salle écoutait comme à la messe et a raté son métro pour acclamer les artistes », affirme Cocteau. En fait, l'aventure de ce spectacle dépasse de beaucoup l'intérêt qui soulève le théâtre. Malgré la ferveur du public, la pièce subit les assauts répétés d'une grande majorité

---

1. Le poète note dans son journal, à la date du jeudi 20 avril 1944 : « Vu la répétition d'*Andromaque*, Jeannot m'a étonné par son autorité, ses trouvailles... » Puis, le 7 mai : « La mise en scène d'*Andromaque* m'étonne de plus en plus. C'est le renoncement à la déclamation au bénéfice d'une grandeur simple qui me semble être la nouveauté du théâtre tragique en 1944. » Enfin ont lieu les 22 et 23 mai la générale et la première. Pour Cocteau, « Jeannot joue Oreste et l'emporte à mon avis sur ceux de Mounet et de De Max. Sa beauté, sa noblesse, sa fougue, son humanité sont imbattables. » Tout en reconnaissant au spectacle des fautes et des faiblesses, il y voit le triomphe d'un esprit d'ensemble qui s'opposerait à « l'esprit du Cartel, de la Comédie-Française et des habitudes ». « Cette *Andromaque* décapée, écrit-il encore, se montre avec une violence terrible, une cruauté neuve, qui révoltent presque tout le monde. » Et il ajoute que Marais « peut être fier d'avoir suscité avec Racine le même scandale que *Parade*, que *Les Mariés*, que *Le Sacre*. Il réveille en sursaut des personnes qui somnolent et qui aiment leur somnolence ».

d'intellectuels, puis des membres du Parti populaire français, ce PPF de triste mémoire. La cabale oblige Marais à retirer *Andromaque* de l'affiche au bout de quelques soirées. Le spectacle est interdit par le préfet de police de Paris, après les récriminations de la Milice, qui voit dans cette tragédie un encouragement à la Résistance. La presse collaborationniste s'en donne à cœur joie. Alain Laubreaux stigmatise dans *Je suis partout* « les rauques gémissements et l'averse de positions de M. Cuny » et « les aboiements de gladiateur ivre de M. Jean Marais » dans un spectacle « marqué du sceau de Corydon », au motif que les hommes auraient été quasiment nus et les femmes habillées jusqu'au cou [1]…

Si le Tout-Paris soutient Marais, d'autres sont moins enthousiastes, comme Marie Bell, qui dit à Cocteau : « Tu es impardonnable d'avoir laissé Jeannot faire une chose pareille, c'est une honte. » Elle aurait même ajouté un mot qui va les brouiller longtemps : « Il faut fusiller Jean

---

1. Laubreaux reproche d'abord au spectacle d'être trop marqué par l'homosexualité : « Les hommes y sont nus, mais les femmes ne découvrent pas une rose de leur chair. » Ensuite, il parle des « aboiements de gladiateur ivre de monsieur Jean Marais qui est le seul à croire qu'il récite du Racine ». D'ailleurs, poursuit-il, chaque vers que les comédiens « expectorent est souligné de grimaces ridicules et de tortillements du ventre comme s'ils se délivraient du tænia ».

Marais. » Dans cette période où le débarque-
ment des Américains est proche, le couple est
une cible facile et Jeannot apprend même bientôt
que son nom figure sur une liste noire, qu'il est
menacé d'arrestation. Il va se cacher provisoirement.

20 août 1944 : les troupes alliées sont aux
portes de Paris. Partout, les résistants appa-
raissent dans la ville déserte. Nous sommes à
trois jours de la Libération. Comme si de rien
n'était, Cocteau et Jeannot se rendent à déjeuner
chez Misia Sert. Jeannot porte un costume bleu
clair. Dans *Mes quatre vérités*, il racontera la
scène : « J'avais toujours mon tweed bleu ciel,
offensant, je l'avoue, dans un moment pareil ;
j'ignore pourquoi je le portais ; je n'y pensais
pas. Nous traversons l'avenue de l'Opéra et nous
prenons la rue Casanova. Un passant en
débouche et nous croise. À l'instant où nous
sommes au plus près l'un de l'autre, on tire d'un
toit. L'homme tombe. Une gerbe de sang sort de
son dos. Il se relève et retombe mort. J'ai toujours cru qu'on avait tiré sur moi. Pour ces gens,
réfugiés, traqués sur les toits, c'était la fin ; ils
allaient mourir : ils le savaient. Ce costume aux
couleurs si vives et gaies, ces longs cheveux
blonds avaient dû leur être une insulte. »

À la Libération de Paris, Cocteau, Marais et
Morihien regardent passer le général de Gaulle
place de la Concorde depuis l'hôtel Crillon,
quand on se met à tirer. Ce sont des miliciens

qui sont placés juste au-dessus de leurs têtes. Aussitôt, les chars commencent à mitrailler la terrasse de l'hôtel. Tout le monde se couche à plat ventre. Seul Marais contemple ce spectacle surréaliste : « Plus je suis à la fenêtre, plus ils tirent, racontera-t-il, car je suis la seule tête qu'ils voient. Quand c'est fini, Jean Cocteau s'avance : une balle lui coupe la cigarette au bec. »

Au lendemain de la Libération, les FFI chargent Marais, croyant lui faire plaisir, d'arrêter un directeur de théâtre, son ennemi personnel. Il préfère s'engager dans la 2ᵉ DB du général Leclerc, le 7 septembre 1944, et s'éloigner ainsi de Paris qui, pendant quelques semaines, va exhaler dans la confusion sa haine en même temps que sa joie de la liberté. Et Jean se retrouve seul pour plusieurs mois. Il vit très mal la période qui suit la Libération. Il note dans *La Difficulté d'être* : « L'attitude de la France après la Libération était simple. Elle ne l'a pas prise. En proie aux militaires, le pouvait-elle ? Que fallait-il ? Dire au monde : "Je n'ai pas voulu me battre. Je n'aime pas me battre. Je n'avais pas d'armes. Je n'en aurai pas. Je possède une arme secrète. Laquelle ? Puisqu'elle est secrète, puis-je vous répondre ?" Et si le monde insiste : "Mon arme secrète est une tradition d'anarchie." » Si Cocteau n'est pas inquiété à la Libération, il n'en est pas moins inquiet. Il n'est mentionné sur aucune liste noire. Il lui est simplement reproché d'avoir fréquenté des

Allemands, d'avoir été trop bien servi quand d'autres ne l'étaient pas, quand les juifs et les résistants mouraient torturés. De toute façon, il n'entre dans aucune des catégories de la motion écrite par le Centre national des écrivains qui stipule que sont coupables :

1/ Les membres du groupe « Collaboration » et les écrivains ayant appartenu à des partis politiques ou à des formations paramilitaires d'inspiration allemande.

2/ Les écrivains qui ont accepté de se rendre aux divers congrès tenus en Allemagne depuis juin 1940.

3/ Tous ceux qui ont reçu directement ou indirectement pour prix de leurs services de l'argent ennemi.

4/ Ceux qui ont aidé, encouragé et soutenu par leurs écrits, par leurs actes ou par leur influence la propagande et l'oppression hitlériennes.

Hormis son *Salut à Breker*, sa présence à quelques concerts de l'Institut allemand, on ne peut vraiment rien lui reprocher.

Ses amitiés avec Sartre, Eluard et Aragon servent de paratonnerre. Mais le malaise et l'inquiétude de Cocteau sont réels. N'a-t-il pas souligné : « Nous serons tous considérés comme des criminels pour être restés en France et y avoir continué notre travail. Nos malheurs ne compteront pas » ?

Tandis qu'au sein de la division Leclerc, en uniforme et coiffé d'un béret noir, Marais joue les chauffeurs pour le ravitaillement sur le Rhin,

Cocteau est mort d'angoisse à Paris. Il s'en ouvre dans ses cahiers : « En partant, Jeannot, *qui sait tout*, m'a dit : "Profite de mon absence pour écrire un livre." Mais il ne savait pas que l'inquiétude se transforme chez moi en maladie, me paralyse, me ravage, me tue. Chaque minute, je l'imagine blessé ou mort. J'arrêterais des gens dans la rue et je m'accrocherais à eux, je leur parlerais pour ne pas être seul, pour me distraire des effrayantes imaginations qui m'envahissent et que rien ne chasse. » « Jean Cocteau, se souvient Marcel Schneider, était presque paniqué par l'absence de Jeannot, même si Paul Morihien était là. » Dans une lettre à son amant, du 17 septembre 1944 (soit dix jours après son départ), le poète écrit :

« Sans ton soleil, ce Palais-Royal m'effraie et je l'envisage avec une telle crainte que je demanderai peut-être aux Colle [1] de t'attendre chez eux. J'espère chaque samedi apprendre par le journal ou par la radio de quel côté vous êtes. Hélas, on garde le silence sur le détail des effectifs. [...] Mon fils chéri, songe à ton admirable avenir et garde-toi pour lui et pour moi dont c'est le seul bonheur sur terre. Mon destin m'est égal. C'est le tien qui compte et qui me permet de vivre ces heures interminables. Je t'embrasse du fond du cœur.

Jean. »

---

1. Pierre Colle, propriétaire d'une galerie de tableaux et ami de Jean Cocteau.

À cette époque troublée, selon Schneider, Cocteau ne veut rien savoir des sentiments profonds, des soucis ou des aspirations de ses amis. Seul compte le sort de Jeannot. À André Gide, il confie n'être plus qu'une moitié de Jean Cocteau, l'autre évoluant avec les camarades d'Alsace que le soldat côtoie. « Ma seule joie, confie-t-il, est lorsque je rencontre des personnes qui viennent du front des Vosges et qui y retournent, d'essayer de faire parvenir des lettres, de garder le contact. » L'aveu dans son journal est sincère : « J'emploie chaque minute à essayer de vaincre l'angoisse. » Il imagine Jeannot recevant une balle et hurlant à la mort, seul, loin derrière sa colonne de chars. Cocteau a beau se raisonner : rien n'y fait !

L'arrivée à Paris, le 17 septembre 1944, de Jean-Pierre Aumont, rentré des États-Unis (« merveilleux de jeunesse et de grâce »), ne parvient même pas à calmer Cocteau. L'audition qu'il accorde à un jeune débutant, Christian Marquand, n'est qu'un court intermède. Christian n'est pas vraiment français ; il a des origines arabes et espagnoles. Au départ, il est acteur de théâtre. Lorsqu'il le rencontre, Cocteau lui dit : « Les beautés masculines telles que la tienne ne peuvent être saisies que par une caméra. Tu as une sexualité sauvage que seule la caméra peut dompter. Tu possèdes un charme si puissant que tu pourrais commander au vent de s'arrêter de souffler. » Cocteau le fera travailler comme doublure de Jean Marais sur *La Belle et la Bête* et l'ironie est qu'il deviendra dans la vie le gendre de Jean-Pierre Aumont.

Autre visiteur de l'époque, un apprenti jeune premier : Jacques Viale. Il racontera qu'il fut frappé par la maigreur de Cocteau et la tristesse de ses yeux qui exprimaient une torture intérieure : « C'étaient les yeux les plus tristes que j'aie jamais vus, dira-t-il. Ils étaient tellement emplis de douleur que j'avais l'impression de regarder dans l'antichambre de l'enfer. » De fait, Cocteau passe tout l'automne 1944 malade... grippe, angine et autres maux se succèdent dans la meilleure tradition psychosomatique. Le 7 novembre, il écrit à Jean Marais :

« *Malgré la maison pleine de monde qui passe, je suis seul, d'une solitude effrayante.* »

Cocteau s'efforce de faire bonne figure à Noël, passé sans Jeannot. Quelques jours plus tard, il note : « Tout ce cauchemar est atroce, mais nous nous réveillerons un matin et je verrai ton cher visage autrement que par les forces magiques de l'âme. »

Tandis que la 2ᵉ DB effectue les campagnes d'Alsace et de Lorraine, Marais se fait aimer de tous par son allant, sa gentillesse et sa simplicité. Pendant cet hiver 1944-1945, il voit le feu de près sur une route qui surplombe les champs, aux abords de Marckolsheim. Son unité est coupée, encerclée, bombardée de toutes parts par les Allemands. Non loin de là, gît une ambulance, dont les pneus sont crevés par des éclats d'obus. Comme il semble difficile aux infirmières de réparer, il y va pour les aider ; à la minute même, les obus se mettent à tomber plus loin. Il racontera lui-même : « Nous avons réparé ensemble. Enfin, pour la première fois de ma vie, le bombardement, faisant retour, m'a trouvé. Une infirmière me crie : "Jeannot, ne restez pas debout ! Couchez-vous !" Je répugne à me coucher dans la neige, mais si je reste debout, j'ai l'air de crâner, de donner un exemple héroïque ; la délicatesse exige que je me couche. Je ne suis pas plus tôt allongé auprès d'elle que je vois qu'elle est entre les bombes et moi : son corps me protège : je dis "Oh, pardon !", et je me recouche de l'autre côté. Mais j'ai trop froid. Je remonte dans mon camion. Pour me réchauffer un peu, je mets le moteur en marche. Pour me distraire, je mange des confitures de cerises. Je jette les noyaux qui n'ont pas été enlevés : tout autour de mon camion ils se détachent sur la neige. » Ses camarades se sont couchés contre la route en remblai, l'utilisant comme une tranchée contre les obus, et ils ne cessent de lui dire, de loin : « Jeannot ! Viens ici, idiot, idiot ! Veux-tu venir, oui ou non ? » À la fin, en rampant sous les explosions, ils viennent le chercher et sont tellement surpris par les noyaux de cerises, puis tellement sidérés de le voir manger, que le soir même ils racontent l'histoire à leurs officiers. Il se trouve que le règlement, la consigne formelle en cas de bombardement, c'est de rester dans le camion, moteur en marche. On lui donne la croix de guerre, pour l'exemple. Il refusera toujours de la porter.

Puis, la compagnie est envoyée au repos à Châteauroux où Marais reçoit la visite de Mila Parély. Cocteau s'annonce bientôt. Au mois de mars 1945, le poète se rend à Graçay, à moins de cinquante kilomètres au nord de Châteauroux, pour rejoindre Jeannot. Une fois là-bas, on lui apprend que Jeannot vient de partir pour Paris en permission exceptionnelle de quarante-huit heures. Cocteau rentre dare-dare sur la capitale. Les retrouvailles sont mitigées. Marais arrive pour déjeuner au Palais-Royal avec une Mila Parély déchaînée à son cou, se plaignant d'être trompée avec une pléiade de garçons comme si la 2e DB était un lieu de drague. Témoin de la scène, Roger Lannes, qui voit Cocteau « irrémédiablement seul », amer et agacé. Comme le nota un observateur : « Marais soldat appartenait encore un peu à Cocteau. Marais civil était impatient de faire profiter un peu tout le monde de sa gloire. » Marais joue *Le Bel Indifférent* pour la galerie.

Mais Cocteau pardonne vite à son cher ange. Seuls comptent les projets professionnels et en particulier le tournage de *La Belle et la Bête*. Il faut trouver un moyen de libérer Marais de ses activités de soldat. Celui-ci raconte : « Cocteau était furieux. Il disait : "Moi j'ai envie de faire un film et toi tu es là à ne rien faire à Châteauroux." Alors, il a eu l'idée d'inviter tous les acteurs les plus célèbres, les chanteurs, les chanteuses, et il a donné une fête pour la 2ᵉ DB à Châteauroux. Et il a demandé au général Leclerc de me prêter pour un film. Et Leclerc m'a prêté. Mais je devais aller pointer tous les huit jours aux Invalides. Un jour, j'ai été mal reçu. On m'a dit :

— La division est repartie.

J'étais déserteur.

— Dites-moi où la rejoindre.

— Ah, non, c'est interdit. Débrouillez-vous.

Ça s'est arrangé parce que j'avais la permission du général Leclerc. »

Avant le début du tournage prévu en août 1945, Cocteau et Marais tentent de se retrouver et passent deux semaines de juillet au bord du bassin d'Arcachon au Piquey[1]. Comme du temps de Radiguet, le couple habite l'hôtel Chantecler, une petite construction légère avec un balcon de bois, à l'orée de la forêt de pins. Un chemin longe la mer et une Jeep doit attendre

---

1. Les moyens de transport sont encore très mauvais. Le général Corniglion-Molinier met son avion personnel à leur disposition. Mais, à la suite d'une panne, le pilote doit se poser à Bordeaux. Ensuite, l'auto qui les transporte est plusieurs fois sur le point d'expirer, comme si tous les éléments se liguaient contre le voyage.

la marée basse pour apporter les provisions. Ils prennent aussi le bateau pour traverser le bassin et se rendre à Arcachon et vont rendre visite à Hubert de Saint-Senoch, ami de longue date de Jean Hugo. C'est pendant cet été 1945 que Cocteau et Marais renouent leur intimité. Tandis que Jeannot, qui adore s'exhiber à demi nu, bronze, Cocteau, brûlé par le soleil et piqué par les moustiques, contracte l'infection dermatologique qui l'épuisera durant le tournage de *La Belle et la Bête*. Avant de commencer le tournage « du bain lustral de l'enfance », il plonge dans un autre bain lustral : « J'habite chez toi, près de toi, autour de toi. Tu imagines ! » écrit-il à Valentine Hugo du Piquey. « Eh bien, que la côte se transforme et se peuple de maisons ignobles, il reste assez de planches, de filets et d'aiguilles de pins pour reconstruire notre rêve… Hélas, on ne peut plus se rendre à l'océan par les dunes. Il y a des mines partout. »

Cet été précède une longue période de travail commune des deux amants : tournage de *La Belle et la Bête*, *L'Aigle à deux têtes* au théâtre et au cinéma, *Les Parents terribles* au cinéma, une longue tournée théâtrale, *Ruy Blas* à l'écran jusqu'à *Orphée*. Cocteau va faire grandir et se dessiner la statue de Marais.

8

La Belle et la Bête

L E TOURNAGE de *La Belle et la Bête* dure neuf
mois. Neuf longs mois, de fin août 1945 à
juin 1946, entre Rochecorbon en Touraine, le château de Raray [1] dans l'Oise et les studios d'Épinay.
Un tournage épique que Cocteau porte de bout

---

1. Marais raconte : « (...) Quand Cocteau a découvert
Raray, il est tombé amoureux du parc et surtout de la
chasse à courre en pierre, à l'entrée du château. La famille
Labédoyère, à qui appartenait le château, ne voulait pas
entendre parler de cinéma. Cocteau était désespéré et ils ont
finalement accepté de louer le parc à 800 000 francs par
jour ! Argent qu'ils ont donné à des œuvres. C'était tout de
même très cher pour le film, mais Cocteau a accepté car il
ne pouvait pas imaginer ne pas tourner là. En dehors du
fait qu'ils n'aimaient pas les gens de cinéma, les Labédoyère
avaient honte que leur parc ne soit pas entretenu, mais c'est
ça qu'aimait Cocteau ! Le parc en désordre ! Finalement,
ils nous ont adorés et nous ont souvent invités à déjeuner. »

en bout, expliquant plus tard : « On ne choisit pas un sujet. On le porte en soi. Il mûrit, et il se réalisera un jour, par quelque moyen. C'est ainsi que, depuis mon enfance, j'aime *La Belle et la Bête* d'un amour qui devait un jour ou l'autre se traduire par une pièce ou par un film. C'est le film qui l'a emporté, en partie à cause de toutes les possibilités qu'offre l'écran. J'ai décidé de faire un film qui soit un peu une histoire que je raconterais moi-même au public, caché derrière l'écran. Les contes sont la grande mythologie française. Je m'adresse, par l'intermédiaire de *La Belle et la Bête*, à ce qu'il reste d'enfantin dans le public, ce public qui, devenu une grande personne, oppose une telle résistance au merveilleux que les enfants acceptent avec tant de facilité. »

Si Jean Cocteau avait respecté scrupuleusement le conte de Mme Leprince de Beaumont, les vingt pages de *La Belle et la Bête* (écrit en 1757) n'auraient pu lui fournir que la matière d'un film de court métrage. Aussi a-t-il été amené à ajouter à la trame originale du conte des détails nombreux, des incidents, des coups de théâtre. S'il a réduit la famille du marchand à trois filles, Belle, Adélaïde et Félicie, et à un fils, Ludovic, il a doté ce dernier d'un camarade, Avenant, qui aime Belle, dont elle est amoureuse. « Ainsi, Belle, explique Cocteau, retrouve-t-elle sans cesse sur son chemin le même homme. Je crois qu'il en est souvent ainsi, et que la plupart des femmes sont destinées à un homme qu'elles retrouvent sans cesse sous des formes un peu différentes. Le cas est d'ailleurs le même pour les hommes que leur quête ramène souvent au même type de femme. »

Cette *Belle et la Bête* est aussi un cadeau qu'il veut faire à Marais : escamoter sa beauté et créer un personnage déchirant, rien qu'avec son regard triste et sa voix sombre. Dans son journal, le dimanche 26 août 1945, Cocteau note : « Après un an de préparatifs et d'obstacles de toute sorte, voilà que je tourne demain. » Jean Marais joue bien sûr le rôle de la Bête, celui d'Avenant, l'amoureux de Belle qu'elle refuse d'épouser pour ne pas abandonner son père, et celui du Prince Charmant : « Mon but était de rendre la Bête si humaine, si sympathique, si supérieure aux hommes que sa transformation en Prince Charmant soit pour Belle une déception terrible et l'oblige en quelque sorte au mariage de raison et à un avenir que résume la dernière phrase des contes de fées : "Et ils eurent beaucoup d'enfants." »

Cette féerie, qui illustre le thème éternel de l'amour déliant les sortilèges, et qui est pleine de miracles et de créatures fabuleuses, va nécessiter de nombreux truquages[1]. Jean Cocteau a tenu

---

1. Pour *La Belle et la Bête*, Jean Cocteau a fait le moins possible appel à la *truqua*, cette machine à faire les « fondus » et les surimpressions, et utilisée en studio. La plupart des truquages du film sont simples – des trucs « à la Robert Houdin », dit Cocteau – et le but, qui était de reconstituer une atmosphère pleine

avant tout à conserver à l'histoire son caractère féerique. Secondé par une remarquable équipe de collaborateurs au premier plan desquels – en dehors des acteurs – on doit citer Christian Bérard (directeur artistique), Georges Auric (musique), René Clément [1] (assistant technique), Henri Alekan [2] (opérateur-chef), Darbon (production), Arakelian (maquilleur), il va atteindre un saisissant réalisme dans le merveilleux.

---

de fabuleuse étrangeté et d'épouvante, a pourtant été parfaitement atteint. Pour cela, on a dû faire appel à une figuration considérable et à des constitutions robustes. Les figurants jouant leur rôle de cariatides durent rester immobiles pendant des heures, le visage passé à la poudre de chaux et, pendant le tournage, devaient garder leurs yeux grands ouverts, malgré l'éblouissement des *sunlights* braqués sur eux. On enregistra plus d'un évanouissement…

1. René Clément est un grand ami de Jean Cocteau. Il n'a, à l'époque, réalisé que des courts métrages ou documentaires. Parallèlement à *La Belle et la Bête*, il travaille sur son premier long métrage, *La Bataille du rail*, dont il achève le tournage et le montage au moment où Cocteau entame le tournage. Le film, sorti avant celui de Cocteau, en février 1946, remporta le Prix international du jury et le Prix du scénario au Festival de Cannes 1946. Certains plans de *La Belle et la Bête* ont personnellement été tournés par René Clément, notamment les scènes du village de la Belle. Son apport technique est essentiel : il a une formation de cinéaste, ce qui rassure Cocteau dont ce n'est pas le cas.

2. Henri Alekan est alors un des plus grands directeurs de la photo du cinéma français voire mondial. À la fin des années 1930, il participe à de nombreux films de réalisateurs prestigieux : G. W. Pabst, Max Ophuls… Puis il va travailler sur deux films qui établiront sa renommée : *La Bataille du*

146

Face à Jean Marais, Josette Day (ex-compagne de Pagnol) joue la Belle. Ce furent un dîner et une carafe d'eau qui décidèrent de son engagement. Christian Bérard avait un jour réuni pour un dîner Jean Cocteau et Josette Day. Cocteau ne connaissait que la comédienne des films de Marcel Pagnol, une jolie créature artificielle, aux cheveux blonds soigneusement bouclés. Pendant le repas, Bérard déclara à Cocteau : « Tu ne connais pas Josette Day, je vais te la montrer. » Là-dessus, il empoigna sans hésiter les boucles blondes de la jeune femme ; il lui plongea la figure dans l'eau ; enfin, il la démaquilla. Lorsque la jeune femme releva la tête, la Belle était née...

Le tournage de *La Belle et la Bête* est pour Cocteau un enchantement comparable à celui qu'il éprouvait à l'époque où il partageait la vie de la troupe de Diaghilev, le sentiment d'appartenir à une famille de monstres sacrés qui ne ménageaient pas leur peine. Toujours en mouvement, allant de manoir en château et en studio parisien, ils sont comme des saltimbanques. Le journal de Cocteau célèbre la camaraderie et la

---

rail et *La Belle et la Bête* (deux films très opposés par leur manière d'aborder le cinéma). À partir de ce moment-là, il sera sollicité par les plus grands : Carné, Robbe-Grillet, William Wyler... Il est entre autres le directeur de la photo sur *Les Ailes du désir* de Wim Wenders. Son apport sur *La Belle et la Bête* est considérable : c'est lui qui permet tous les effets de lumière visant à crédibiliser la réalité magique du monde de la Bête.

bonne volonté de la troupe – la tolérance professionnelle des acteurs pour leurs crises de nerfs à tour de rôle – ; le passage du studio au théâtre où certains d'entre eux jouent en même temps ; le mélange de familiarité et de respect des machinistes, leurs improvisations sans faille chaque fois qu'il faut venir en aide à quelqu'un ; le Vouvray [1] des pique-niques ; les parties de cartes pendant les pauses ; la joyeuse plongée de Marais tout habillé dans le bassin d'une fontaine, à minuit, pour fêter avec les Tourangeaux le premier anniversaire de leur libération. « Je me demande, écrit Cocteau, si ces journées si rudes ne sont pas les plus douces de ma vie. Pleines d'amitié, de disputes tendres, de rires, de mainmise sur le temps qui passe. »

Et pourtant ! La santé de Cocteau n'est guère brillante. Touché par un mystérieux eczéma, il a le visage et les mains rongés. En tournant son film, il se fait, dit-il, « du mauvais sang ». Mais dès le début, il décide d'accepter son mal comme une nécessité : « Si je me portais bien, le film se porterait peut-être mal. » En vérité, il veut prendre sur lui la souffrance atroce qu'il impose à Jean Marais et ce martyre du maquillage qui dure des heures. Plus ça va, plus son corps est meurtri : mal de dents, démangeaisons, furoncle à la nuque, ce qui le gêne beaucoup dans son

---

1. Prestigieuse appellation de vins blancs des pays de la Loire. Vin délicat et subtil.

travail. Stoïque, il ne se plaint pas devant son équipe, continue de raconter des histoires drôles pour mettre tout le monde de bonne humeur, mais il souffre le martyre : « Une bête féroce me tenaille la nuque d'une griffe puissante », écrit-il.

Il y a là comme un phénomène de transfert. Cocteau s'identifiant inconsciemment au personnage qu'interprète son ami et acteur fétiche. Car Jean Marais pâtit de ses longues heures de maquillage pour endosser le masque de la Bête (trois heures pour le visage et une heure pour chaque main). Dans *Mes quatre vérités*, Marais raconte : « Il me fallait cinq heures de maquillage par jour pour tourner la Bête, donc treize heures de présence au studio. Mes crocs d'animal fixés à mes dents m'interdisaient de manger autre chose que des compotes et des purées, à la petite cuillère. Entre ces prises de vues, je n'osais pas articuler pour ne pas décoller le maquillage : on ne comprenait pas ce que je disais ; je m'exaspérais. Parfois, il fallait tout recoller poil par poil. Mon visage souffrait horriblement, mais j'aurais eu mauvaise grâce à m'en plaindre. Jean venait, lui-même voilé d'un papier noir accroché au bord d'un chapeau par deux épingles à linge, troué à la hauteur des yeux et de la bouche. Il souffrait d'une maladie de peau et ne pouvait plus se raser... Il me disait, avec une tendresse exquise : "Tu vois, le Bon Dieu me punit : comme je t'ai couvert de poils, il me couvre de poils aussi !" Comment ne pas essayer d'être égal à son héroïsme ? » Cependant, de cette souffrance et de cette laideur naît la beauté du personnage, mi-homme mi-bête [1].

Cocteau décrit dans son journal ce curieux mimétisme : « N'est-il pas dans ma ligne que mon visage se détruise, enfle, craque, se couvre de blessures et de poils, que ma main saigne et suinte, puisque je couvre le visage et les mains de Marais d'une carapace si douloureuse que le démaquillage ressemble au supplice de mes pansements ? Tout cela est en règle avec un certain style de l'âme qui est mon style. »

Une seule fois, il laisse deviner l'impatience de Jeannot : « Sous ses poils, Marais change d'humeur et se cabre à chaque parole qu'on prononce. Il en est navré lui-même. Il se domine et recommence après. C'est une course épuisante pour finir à six heures. Le son recharge. Un arc charbonne. Marais se trompe de texte. La figure de Darbon s'allonge. Je m'énerve. Arakelian retape le maquillage de Marais à la seconde où je m'apprête à donner l'ordre. Si je l'engueule, Marais se fâche. Bref, de crise en crise, on tourne le dernier plan – celui où la main droite de la Bête arrive en gros sur l'appareil. » Mais Marais

---

1. « Jeannot regagnait sa loge comme une niche. Nous dûmes tourner la nuit. Vers six heures du matin, il devenait un animal douloureux. C'est grâce au supplice de la colle, des poils et de la fatigue que nous obtînmes l'extraordinaire prise de vue où la Bête regarde Belle et se meurt », dira Cocteau.

sait vite se faire pardonner, d'autant que Cocteau souffre toujours d'urticaire, de gourme et de maux de toute sorte. Reconnaissant, le poète note dans son journal : « Sans le dévouement, la bonté d'âme de Jean Marais qui, malade, me soigne et vient à Saint-Maurice me faire mes piqûres d'insuline, je me demande ce que je deviendrais. »

Dans son journal du tournage de *La Belle et la Bête*, il note : « Rien n'est plus beau que d'écrire un poème avec des êtres, des visages, des mains, des lumières, des objets qu'on place à sa guise. » Peut-on donner meilleure définition du cinéma ? Et cela, Cocteau, avec sa fulgurante intelligence, le comprend dès le premier tour de manivelle.

Pourtant, chaque jour est une épreuve, entre eczéma, sciatique et aléas du tournage [1] : « [...] Je m'acharne. Je continue, note Cocteau. Et j'aime cet acharnement. Je ne peux pas dire qu'il

---

1. Une des difficultés du film fut le tournage dans la France de 1945. Dans l'immédiat après-guerre, où les conditions de travail n'étaient pas des plus confortables, l'équipe connut notamment des difficultés à trouver de la pellicule et souffrit de la restriction d'électricité, des pannes de courant ou encore de l'absence de lumière de studio. Elle dépendait le plus souvent de la lumière du jour. Jean Cocteau insistait d'ailleurs pour filmer sous toutes les conditions dans le but d'« évoquer la beauté qui vient par hasard ». Lorsque la scène nécessitait plus d'éclairage, on utilisait des torches et des arcs de magnésium. Les déménageurs des décors travaillaient même souvent à la lumière des chandelles.

me coûte. Mon travail est un travail d'archéologue. Le film existe (préexiste). Il me faut le découvrir dans l'ombre où il dort, à coups de pelle et à coups de pioche. Il m'arrive de l'abîmer à force de hâte. Mais les fragments intacts brillent d'un beau marbre. » D'autant que le cinéma est un métier de la patience. Il faut attendre. Attendre toujours. Attendre une voiture qui vient vous chercher. Attendre les lumières. Attendre que l'appareil tourne. Attendre qu'on cloue des branches sur des traverses. Attendre le soleil. Attendre l'ombre. Attendre les peintres. Attendre. Attendre le développement. Attendre que les sons soient montés avec l'image. Attendre que la salle de projection soit libre. Attendre que les arcs des projectionnistes ne charbonnent plus. Attendre, attendre, attendre… « C'est l'école de la patience, remarque Cocteau. Les nerfs à vif. Les nerfs qui se tendent et se détendent. »

Le cinéaste est en admiration devant son acteur fétiche : « Je suis très inquiet de le voir jouer le rôle de la Bête, sous ce maquillage de poils et de colle, avec sa mine fatiguée. Jamais il n'admettrait de se plaindre. » Pierre Cardin, qui travaille alors pour la maison Paquin, créatrice des costumes, se souvient : « Cocteau avait l'impression d'avoir Jean Marais pour lui tout seul. Hormis l'équipe, personne avec qui le partager. Loin de Paris et loin du Palais-Royal, éloigné des tentations de la capitale et de ses beaux faiseurs, Jean peut profiter de longs moments de complicité avec Jeannot. » Tous les comédiens et techniciens font osmose avec le couple. Il semble que la vie collective qu'implique le tournage apporte à Cocteau un vrai bonheur : « Cette existence épuisante ne me donnait aucune fatigue. Le film m'habitait, me soulevait, m'insensibilisait, m'ôtait l'angoisse molle où l'oisiveté me plonge, m'obligeait à quitter une chambre où des ombres néfastes me paralysent et m'empêchent d'écrire. » Il note aussi : « Il faut que j'aie quelque chose à vaincre pour que le travail m'intéresse. » Parfois, il s'avoue accablé, parce que le soleil, la pluie ou les nuages ne sont pas au rendez-vous : « Allez vous arranger avec une muse qui ne sait pas attendre. »

Sa correspondance intime de l'époque met en valeur une reconnaissance totale envers Marais, sa gentillesse et sa patience. Jeannot y est traité sans cesse de « bon ange », de « doux protégé », de « Jeannot bien-aimé ». Cocteau, il est vrai, souffre énormément et s'épanche de ses soucis de santé. Part-il se reposer une semaine dans les Alpes qu'il écrit à Marais :

« Mon Jeannot,
Veux-tu téléphoner au docteur Degas ? (…). Dis-lui
que mes lésions me démangent beaucoup et forment des
croûtes sous les bras (principalement insupportables,
les aisselles). Le visage a des taches et des traces qui
deviennent brunes. J'ai beau mettre l'eau au camphre
et la crème sur le visage, il semble que mes sales

microbes se plaisent ici. Demande-lui si ce n'est pas la jaunisse qui excite les plaies mauvaises et ranime les autres. Impossible de me baigner au permanganate dans un hôtel, impossible de tacher tous mes tricots de rouge. Alors que faire ? Faut-il simplement attendre que le changement d'air agisse ? Je crois hélas que ces microbes résistent à tout et qu'il faudrait, pour les vaincre, une bonne santé que je n'ai pas. Pardonne-moi de t'embêter avec ma plainte éternelle, mais il y a des heures où je deviens fou. »

Certes, Cocteau a, avec les maladies, des rapports ambigus. Pendant le tournage de *La Belle et la Bête*, il écrit dans son journal : « Et me voilà encore au lit dans ma petite chambre rouge. Cette fois, c'est la grippe qui a fondu sur moi avec l'instantanéité d'une tornade… La fatigue où me laissent 40° de fièvre est indescriptible. Dehors, il neige. Dans ma tête, la fatigue tourne comme cette neige lointaine des boules de verre de notre enfance. » Les douleurs de Cocteau sont tellement vives qu'au cœur de ses maladies, il apprend aussi le courage : « Je tire de la douleur un bénéfice : elle me rappelle sans cesse à l'ordre. »

Ainsi, jour après jour, malgré tous les tourments vécus, il affine son chef-d'œuvre. Grâce à la touche artistique de Bérard et son XVIIe siècle esthétique bâtard, Cocteau compose avec ces images, en s'aidant des tableaux des peintres hollandais, des gravures romantiques, des architectures Louis XIII, des robes de Paquin, des chaises à porteurs de Molière, et des couloirs surréalistes, un ballet des styles où les initiés lisent à partition ouverte les intentions et les souvenirs. Le film est enfin terminé le 4 avril 1946 et il est présenté monté aux techniciens du studio le 1er juin 1946. Marlène Dietrich accompagne le poète : « J'assistai au film, dira Cocteau, en tenant la main de Marlène et je la broyai sans m'en apercevoir. Le film se dévidait, gravitait, étincelait, en dehors de moi, solitaire, insensible, lointain comme un astre. Il m'avait tué. Il me rejetait et vivait de sa vie propre. Je n'y retrouvais que les souvenirs attachés à chaque mètre et les souffrances qu'il m'avait coûtées. Je ne soupçonnais pas que d'autres y pussent suivre une histoire. Je les croyais tous plongés dans mes imaginations. » L'accueil des artisans du film est enthousiaste. Marlène Dietrich encense Jean Marais.

Le producteur André Paulvé décide d'organiser une projection pour le Tout-Paris le 10 juillet, au Colisée. Ce n'est d'abord qu'un bruit, une rumeur… mais bientôt la nouvelle se précise : Jean Cocteau va faire une « présentation professionnelle et privée » de *La Belle et la Bête*. Jamais Paulvé ne se compte tant d'amis… Jamais Cocteau ne reçoit autant de coups de téléphone ! Il ne s'agit plus de quitter Paris, mais de recevoir le précieux bout de carton blanc qui permettra l'entrée du 128, rue La Boétie, un soir de juillet ! Et ce même soir, dans une cour fleurie, sous les projecteurs qui s'allument, tandis que la nuit tombe, on voit arriver... le Tout-Paris, le vrai... celui qui ne compte aucun visage anonyme.

Dès l'entrée, où s'étalent les affiches si réussies du film, André Paulvé, animateur de cette *garden-party*, fait fleurir de roses rouges toutes ses invitées et l'on admire une vitrine où voisinent la robe de la Belle et le masque de la Bête ! Il y a là un grand buffet, tout au fond... mais pour y parvenir on marche sur les pieds de Danielle Darrieux, on bouscule Duff Cooper et Lady Diana Cooper et l'on oublie de s'excuser auprès de Renée Saint-Cyr que l'on coince contre un mur. Il y a Jacques Becker, Christian-Jaque, Jean Delannoy, Marcel L'Herbier, Marc Allégret, Jean Stelli, Jean Grémillon, André Berthomieu, De Canonge, Pierre Billon, sans oublier Simone Renant, Madeleine Robinson, Erich von Stroheim, Denise Vernac, Henri Vidal, Renée Faure, Jacques Catelain, Line Noro, Agnès Capri, Ketty Gallian, André Luguet, Madeleine Sologne et Michel Simon. On cherche Jean Cocteau et on se l'arrache aussitôt. Marie-Laure de Noailles, Max-Pol Fouchet et Lise Decharme bavardent, mais lorsque les dix heures sonnent simultanément à toutes les horloges voisines... c'est le départ du 100 mètres plat La Boétie-Champs-Élysées, tout le monde se rue vers le Colisée comme si les combats de gladiateurs existaient encore ! La lumière s'éteint, c'est le grand moment tant attendu. Le poète va raconter le conte de fées qu'il a imaginé, son rêve va prendre corps et comme il l'a si bien dit : « Il existe un style de conte de fées. Il est inimitable. Il importe de s'y soumettre. » L'accueil du Tout-Paris est enthousiaste.

Cependant, France Roche écrira : « *La Belle et la Bête* se présente avec ce prestige dangereux des œuvres dont on a trop parlé, écartelée entre le bien qu'on promet, le mal dont on menace, et cette image déjà mûre, que chacun a élaborée derrière le titre, avec des lambeaux de l'anecdote et le visage des interprètes. Et puis, le film est de Jean Cocteau, qui est le plus célèbre des poètes français à l'étranger et aussi en France. Pas toujours pour sa poésie. Une légende excessive et malveillante l'environne. Il présente à tous les publics un visage nourri de sens par vingt anecdotes mémorables. Une conspiration de poètes, de journalistes, de cabotines et de secrétaires l'étouffe d'accents indiscrets. Il est une manière de symbole : le symbole d'une poésie réputée difficile, d'un raffinement réputé snob, d'un groupe social réputé indésirable. »

Sans doute cela explique l'accueil réservé au film en septembre 1946, au festival de Cannes. L'œuvre fait partie de la sélection française au même titre que *La Symphonie pastorale*, *Un revenant*, *La Bataille du rail*, *Patrie* et *Le Père tranquille*. On y admire l'esthétique du film, mais la résonance humaine semble pauvre. Le commentaire le plus juste est sans doute celui de Maurice Bessy qui note : « Avec *La Belle et la Bête*, conte moyen, Cocteau n'a pas tenté cette fois de donner à la légende le visage récent de nos désirs. Intrinsèquement, c'est une réussite parfaite. Jamais illustration ne fut plus éblouissante, jamais tentative d'imagerie ne fut mieux pensée. Le conte s'en trouve amélioré, somptueusement paré et enrichi. On y remarque même, avec un certain regret, cette simplification extrême de l'amour qui caractérise les récits destinés à l'enfance bienheureuse. Ici, il fait place à la pitié et les jeunes filles bien élevées pourront, en toute liberté, mourir imbéciles et intactes. Éblouissement de la féerie, absence d'amour, telles sont les caractéristiques essentielles de ce film "à tirage limité" que le recul des années gratifiera d'un prestige certain. C'est aussi un film de Cocteau, entièrement de lui, totalement de Cocteau. Il est partout, dans la fable, dans les trouvailles, dans le rythme, dans les images, dans le moindre geste de ses marionnettes, dans chacun de ses paradoxes, dans ses meilleurs défauts, dans ses grossissements du rêve, dans les plus intimes parcelles de lumière. Cocteau a réalisé son film comme il écrit un poème, dans un splendide isolement. Et c'est pourquoi nous sommes irrésistiblement attachés à l'aventure, c'est pourquoi nous oublions la faiblesse de l'argument.

Maquillage savant de Jean Marais, beauté de statue de Josette Day, zéphyr de Christian Bérard, tout cela est fort bien, mais peu de chose auprès des bras magiques ou du miroir enchanté. C'est pourquoi je regrette que Cocteau n'ait pas donné à la légende le vernis de notre époque, qu'il n'ait pas utilisé sa propre baguette de magicien moderne, qu'il n'ait pas interprété ce thème au rythme de sa fantaisie. »

Les commentaires ne masquent pas l'accueil glacial reçu par le film à Cannes, comme le note *Cinémonde*, sous la plume de Pierre Laroche : « Malgré toutes les circonlocutions, tous les ronds de phrases et envois de fleurs, chacun sait maintenant que le film de Jean Cocteau a pris une "tape" sensationnelle lors de sa présentation à Cannes. Ce fut même l'échec le plus retentissant du festival. Les gens sortaient de la salle avec ces mines faussement apitoyées qui ornent, en ces occasions, le visage des faux jetons et j'entends encore la voie d'un "épisodique" se glissant jusqu'à Delannoy pour lui susurrer comme une basse flatterie : "Hein ?... Quelle déception ! ?..." On aurait pu croire que cette "déception" consacrait le triomphe de ceux qui, ne cherchant rien, sont toujours sûrs d'avoir raison. Comme c'est curieux !... »

La critique est si acerbe que plusieurs plumes prennent la « défense de la Bête » : « On a jeté au panier, avec ce scénario, ce découpage et ce dialogue sujets à caution, un certain nombre d'images bouleversantes, on a négligé l'admirable travail de Christian Bérard, on a fait : "Oui, oui, pas mal… ! ", avec un petit air pincé devant le masque douloureux de la Bête, on a oublié de voir qu'Alekan s'affirmait un excellent opérateur de truquages, la poésie préméditée de certains passages a dissimulé la beauté de ces plans innocents où les lavandières luttent avec des voisins de lumière… Non, à la vérité, on a été très injuste ! Et l'injustice ne paie pas. On se retrouve, un jour, devant elle et, ce jour-là, c'est la statue du Commandeur qui s'anime. Jean Cocteau peut pirouetter sur ses talons rouges et réclamer la palme du martyr. Elle ne lui manque pas et je ne saurais la voir ceindre son toupet sans sourire. Mais je fais mienne l'opinion de Miss Iris Barie, conservatrice du *Museum of Pictures* de Washington, représentant l'Amérique au jury du Festival de Cannes qui, après avoir oublié de voter pour *La Belle et la Bête*, me disait devant la liste des films primés : "Dans dix ans, tout cela sera oublié et la seule œuvre qui restera dans ma cinémathèque sera celle de Cocteau." »

Ce qui n'empêche pas, lors de la sortie en salles, le 2 novembre 1946, la même volée de bois vert. N'est-ce pas Jean-Jacques Gautier qui écrit dans *Le Figaro* : « Je doute fort que *La Belle et la Bête* plaise au grand public. » N'y a-t-il pas Jean Fayard qui, dans *Opéra*, note : « Hélas ! Quelle que soit la bonne volonté de Cocteau et la mienne propre, il faut bien avouer que ce conte ne procure qu'une immuable torpeur. Comme dans le mauvais cinéma, je veux dire le vrai mauvais cinéma, on est frappé par la disproportion entre les moyens et les résultats. D'une part des millions, des artisans de talent, des artistes comme Christian Bérard, des machines, des photographes et… la belle conscience de Jean Cocteau. D'autre part, cette pauvre petite histoire étirée, habillée de fausse simplicité, privée de toute substance humaine comme, disons-le, de poésie. » Georges Sadoul est tout aussi sévère dans *Les Lettres françaises*. Seuls Henri Jeanson, Alexandre Astruc, Georges Charensol et François Chalais défendent le film. Résultat : le film n'est pas le triomphe escompté et il faudra attendre plusieurs décennies pour que *La Belle et la Bête* apparaisse comme le chef-d'œuvre incontestable qu'il est.

Jean Marais n'a guère de temps à regretter les réserves faites au film. Il crée finalement, à Bruxelles, *Renaud et Armide* et, à partir du printemps 1946, est à l'affiche des *Parents terribles* au théâtre du Gymnase. La rentrée verra la création de *L'Aigle à deux têtes* à Bruxelles d'abord, puis à Lyon et enfin à Paris. Pas une seconde de répit pour Cocteau toujours éparpillé entre plusieurs projets et travaux.

9

L'Aigle à deux têtes

F INI LE TEMPS des succès mondains ! En une
période de quelques années, de *L'Éternel
Retour* au *Jeune Homme et la Mort* (le ballet créé
par Babilée), Cocteau collectionne les triomphes.
Après avoir été longtemps un poète prisé par
un public restreint, le voilà consacré par la grande
foule. Le père des *Enfants terribles* et des *Parents
terribles* enchaîne création sur création avec brio.

À l'automne 1946, il monte à Paris *L'Aigle à
deux têtes*. La nouvelle pièce écrite pour le
théâtre Jacques Hébertot devait s'appeler *Azraël*,
d'après le pseudonyme du personnage que joue
Jean Marais, mais le titre provisoire, *L'Aigle à
deux têtes*, reste le titre définitif. Ces trois actes
conçus par Jean Cocteau furent d'abord – fait
sans doute unique au monde – créés dans une
adaptation de langue étrangère. C'est, en effet, à

Londres que *L'Aigle à deux têtes* connut les feux de la rampe dans une version du jeune écrivain britannique Murray Mac Donald. *L'Aigle à deux têtes* y fit beaucoup de bruit, mais surtout parce qu'il révéla une comédienne d'un exceptionnel talent : Eillen Herlie. Celle-ci jouait obscurément depuis quatre ans sur les scènes londoniennes et elle devint célèbre du jour au lendemain, à la fin du premier acte de cette pièce qui est un monologue de vingt-cinq minutes au bout duquel Eillen Herlie tomba évanouie en même temps que le rideau baissait. L'actrice, il est vrai, créa cette pièce un 13 et cassa son miroir quelques secondes avant d'entrer en scène…

Puis, *L'Aigle à deux têtes* est joué à Lyon et à Bruxelles, par la troupe du théâtre Jacques-Hébertot, dans les décors d'André Beaurepaire et les costumes de Christian Bérard. Dans ces deux villes, l'œuvre reçoit un accueil triomphal. Les principaux rôles de la pièce sont joués par Edwige Feuillère (la reine), Jean Marais (Stanislas, l'anarchiste), Jacques Varennes (le chef de la police), Georges Marny, Georges Aminel (dans un rôle muet) et une jeune débutante – qui est également un écrivain – Silvia Monfort. *L'Aigle à deux têtes* est une tragédie dont les personnages et l'intrigue sont inventés par l'auteur. Il a feint de résoudre une énigme posée par un fait historique [1], mais ni le fait ni l'explication qu'il

---

1. La fin tragique de Louis II de Bavière et de sa cousine Élisabeth d'Autriche.

lui donne n'existent. Deux idées s'affrontent : une reine d'esprit anarchiste ; un anarchiste d'esprit royal. L'anarchiste vient pour tuer la reine. Le drame nous montre les trois jours que la reine et son assassin passent ensemble. La reine est de ces familles ayant le culte enragé de l'Art et dont les membres, incapables de créer eux-mêmes des chefs-d'œuvre, veulent en devenir eux-mêmes. Malheureusement, le hasard ne la visite pas, elle décide de tout ce qui lui arrive. Au premier acte, le hasard, croit-elle, entre par sa fenêtre. Elle s'en exalte et en profite jusqu'à la mort.

Un royaume de mystère, d'amour et de mort, d'intrigues à l'ombre de châteaux dans la montagne, de valses tristes qu'on danse au rythme de cœurs trop lourds. Un royaume d'un autre siècle, avec une reine à la fois femme et jeune fille, violente et douce, indécise et obstinée et des anarchistes poètes. Un royaume de poésie où Jean Cocteau a conçu et rassemblé les accessoires favoris de son incantation : le poison, la pourpre, les romantiques forêts de sapins, les couloirs sombres d'une demeure ancienne, les statues colossales, les candélabres baroques, une haute fenêtre ouverte sur une nuit d'orage, un policier glacial qui se prend pour un grand ministre, une garde blanche aux casques emplumés... Le maître de ce royaume n'a pas été le seul à le faire vivre. Christian Bérard a composé le décor, harmonisé les formes des palais, plié à la loi de son goût les moindres détails.

Cocteau met en scène et bien qu'il tresse des louanges [1] à son mentor, Jeannot se montre parfois infidèle à ses indications. Envie de rébellion ? Caprices de star ? Cocteau en souffre un peu. Marais se justifiera : « Il était rare que je n'en vienne pas à le contredire, à m'insurger contre ses indications scéniques, alors que les autres acteurs, même les plus grands, les recueillent avec piété. Il en souffrait, il s'en indignait : il ne voyait pas toujours que c'était une sorte de défense que j'avais, pour vivre. Je l'ai combattu pour qu'il pût continuer de m'aimer. Et, à trente ans passés, j'ai accepté enfin qu'il me mît en scène, sentant que j'avais désormais la force de faire, en dépit de tout, ce qui me viendrait de moi. Et nous avons répété cette pièce, tous deux, avec la plus grande joie. »

La pièce va se jouer durant un an à guichets fermés. Si le public se montre enthousiaste, la critique est dure pour l'auteur. Pour Marais, elle use d'une phrase cruelle inspirée par sa chute spectaculaire du haut d'un escalier dans la scène finale : « C'est un acrobate, un point c'est tout. » Cette phrase est l'écho de celle de ses débuts,

---

1. « Jamais Jean Cocteau ne m'a donné une intonation. Jamais il n'a cherché à rendre droit mon rail courbe, et courbe mon rail droit. Jamais il ne m'a conseillé de faire tel ou tel geste. Sa méthode est autre : vivre, parler, voir ensemble de belles choses, cultiver l'âme sans penser à l'art qui n'est, à ses yeux, qu'une marge de la vie », dira Jean Marais.

dans *Les Chevaliers de la Table ronde* : « Il est beau, un point c'est tout. » Contrairement à un acrobate professionnel, il ne répète pratiquement pas sa chute [1]. Cocteau s'en inquiète. Lors d'une des dernières répétitions, il joue comme s'il se trouvait en présence du public. Les personnes présentes croient qu'il s'est cassé les reins ; en fait, il ne s'est fait aucun mal. Lorsqu'on interroge l'acteur à ce propos, il répond : « Ce n'est pas moi qui tombe, mais le personnage ; mon corps ne se défend pas plus que celui d'un mort. » Il ne se fait mal qu'une fois, un soir où il a accepté de tomber « à froid », pour un photographe de *France-Dimanche*.

C'est grâce à cette scène que des producteurs ont l'idée de lui proposer alors un film d'aventures que Jean Cocteau concevrait. Le poète décide d'adapter pour l'écran le *Ruy Blas* de Victor Hugo qui permettrait à Marais de jouer les deux rôles : Ruy Blas et Don César. En juillet 1946, alors qu'il est en cure dans la station thermale de La Roche-Posay, Cocteau écrit à Marais :

---

1. « Étant enfant, je faisais déjà des cascades dans la cour du collège ; j'étais une espèce de monstre : j'emmerdais les pions en courant à toute vitesse, je me faisais un croche-pied, je partais en l'air et retombais dans les pieds du pion que je n'aimais pas ; il tombait à son tour et ne pensait pas du tout que je l'avais fait exprès ! Je tombais aussi à la renverse dans un escalier, je faisais semblant de m'évanouir devant les copains, qui étaient au courant, contrairement aux pions ! »

« *Je t'écris, plongé dans l'effrayante mécanique de* Ruy Blas – *pièce à laquelle il faut prendre garde – car son emphase excuse son impossible. C'est ce que je m'efforce de traduire en images de film. Pour toi, les deux rôles sont extraordinaires.* »

Quelques jours plus tard, il note :

« *La seule chose qui m'empêche de regretter nos misères, c'est* Ruy Blas. *J'ai presque fini. Beaucoup de dialogues et d'actes. Tes deux rôles sont formidables (à mon estime) et si Calef le fait, je le jalouse. Mais je ne crois pas que ma santé me permette d'entreprendre un travail de mise en scène aussi énorme. La pièce de Hugo ne tient pas debout à l'étude. C'est brossé comme un vieux décor. Il a fallu démonter et remonter la machine avec des pièces comme une montre suisse. Enfin, je suis heureux de te rapporter un beau cadeau.* »

Tout est dit. Cocteau offre son travail de scénariste et d'adaptateur comme le plus beau des cadeaux à Marais. Don de son énergie créatrice et de sa sensibilité au service de la carrière de l'acteur.

Le tournage a lieu l'été 1947, sous la direction de Pierre Billon, sitôt les représentations de *L'Aigle à deux têtes* terminées. En réinventant l'Espagne de *Ruy Blas*, Cocteau ne cherche pas la facilité. Si *Hernani* suscita une « bataille », *Ruy Blas*, lui, ne sut qu'engendrer l'ennui, un ennui académique et poussiéreux. Sonnant creux et faux, l'abracadabrant drame tiré par Hugo de *La Reine d'Espagne* de La Touche, semblait voué à un respectueux oubli qui eût en quelque sorte passé l'éponge sur une géniale aberration. Cela, Cocteau, le charmeur, l'homme de tous les paradoxes, ne l'a point voulu. Curieux, fureteur insatiable, il décida d'exhumer le romantique héros, de le ressusciter et de lui insuffler une jeunesse nouvelle. Cette volonté d'animer un verbeux fantoche, pour surprenante qu'elle apparut de prime abord, ne tarda pas à séduire : Jean Cocteau n'allait-il pas transfigurer son sujet et donner une fois de plus une magnifique histoire d'amour ? Si la pièce, comme le dit lui-même le poète « ne montre que ses invraisemblances », la lanterne magique, par ses tours de passe-passe qu'elle met à la disposition de son montreur, permet à ce génial tricheur de tout « arranger ». C'est ainsi, toujours selon Cocteau, que la similitude physique de Ruy Blas et de Don César, à laquelle le théâtre ne peut recourir, devient à l'écran la base du film, le pivot du drame : le même artiste (en l'occurrence Jean Marais), interprétant les deux rôles. Et Cocteau y voit très justement « le prétexte d'un quiproquo comique et tragique absolument conforme au style de l'œuvre ».

Alors qu'à la scène *Ruy Blas* se joue le plus souvent dans des décors défraîchis et disgracieux, ceux dans lesquels évoluent Danielle Darrieux et Jean Marais sont littéralement ravissants. Petites, intimes, basses de plafond, les pièces de l'appartement de la reine sont séparées

par des cloisons à claire-voie qui rappellent les
« moucharabiehs » orientaux. C'est de l'extérieur, au travers même de ces cloisons ajourées,
que parviennent les éclairages, lesquels dessinent
partout des croisillons et arabesques de lumières.
Simples et modérément pourvus d'ors, de pour-
pres et de colonnes torsadées, ces décors modestement meublés sont transfigurés par les
éclairages. Il y règne une atmosphère de féerie
qui rappelle le palais de « la Bête ». Wakhévitch [1]
et Cocteau ont conçu là des « complexes » qui
font date dans l'histoire de la décoration cinématographique. Plusieurs jours durant, Cocteau,
accompagné d'une camionnette du studio, visite
tous les antiquaires de la capitale. Cette tournée
le ravit, car elle lui permet de trouver pour son
film tous les bibelots, panneaux, lanternes et statues hispano-mauresques qu'il peut, sans oublier
un superbe perroquet jaune et bleu qu'il a déni-
ché au Jardin des Plantes et installé sur un somptueux perchoir de fer forgé.

Les décors ? Une charpente, une armature de
décors, un enchevêtrement de lignes et de

---

1. Georges Wakhévitch : ce Russe né à Odessa arrive à
Paris en 1921. Il a notamment été le décorateur des célèbres
Ballets russes de Diaghilev. Il partage sa carrière entre le
cinéma et le théâtre. Le style de Wakhévitch, qu'on appelle
« le constructeur de songes », se définit de film en film. Les
murs qu'il monte sur roulettes de façon à les ouvrir et les
faire pivoter confèrent à ses décors une certaine souplesse.
La caméra gagne en mobilité et en liberté. Il est à l'origine
de véritables innovations techniques.

poutres qui figurent l'ossature d'un vestibule, d'une galerie, d'un escalier. Le tout en bois, ou simili, orné de sculptures, de torchères, de grilles au dessin compliqué. De grands velours noirs tendus derrière ce squelette marquent les coulisses du studio sans composer un fond à l'image. Ce schéma de décors se dessinera sur le vide... Jean Cocteau a eu l'idée de cette plastique audacieuse aidé par le décorateur Wakhévitch qui a réalisé les maquettes. Mais tel qu'il apparaît au studio, le cadre qui sert à l'action est bien dans le style de Cocteau. Il évoque ce dessin au trait onduleux par lequel l'auteur des *Parents terribles* cerne le contour des choses, laissant à l'intérieur et à l'entour le champ libre à l'imagination. « Le cinéma est un jeu... On perd, ou on gagne... Ce décor, à l'écran, ne sera pas du tout ce que vous voyez là... », dira-t-il.

Mince, l'œil vif, les lèvres serrées, une mèche de cheveux en forme de flammes au-dessus d'un front soucieux, il semble surveiller la magie qui se prépare. Un coup de pinceau lumineux transfigure tout à coup cet escalier en colimaçon qui tourne autour d'un énorme mât central, dont le haut se développe en gerbe, comme le feuillage d'un palmier. L'éclairage ne joue plus sur des surfaces, mais sur des lignes. Il prend par là un rôle nouveau. L'artiste explique : « Le chef-opérateur bâtit ses décors avec la lumière. Kelber crée une architecture charpentée par Wakhévitch. La lumière n'arrive de nulle part, mais elle est là… Il n'y aura dans le film ni murs, ni paysages, et pourtant des décors réalistes dans une atmosphère irréelle… Cette simplification du fond, non du décor, doit nous permettre de faire valoir les lignes et les visages, surtout les visages. Elle limite le drame à ce qui se passe. » Et l'auteur de conclure : « En fait, il ne s'agit pour nous que de raconter une histoire, et non pas de dire ce qui se déroule derrière. »

Au studio d'Épinay, Cocteau est là, parmi les techniciens, un peu comme l'apprenti sorcier au milieu de ses sortilèges. Que va-t-il advenir de la féerie qu'il a imaginée ? Pendant des jours, pendant des semaines, chacune des scènes du fameux drame « déversifié » – selon sa propre expression – est l'objet de mille soins, s'emplit de trouvailles, d'imprévu, d'anecdotes… Autour de lui, immobile dans un coin du plateau, attentif à tout et laissant à chacun sa tâche, ses responsabilités, le mécanisme se remonte scène à scène. Dans la chambre de la reine aux magnifiques grilles de fer forgé, devant la poterne du château avec son étrange appareil de clous de pierres, dans la salle du conseil, les héros prisonniers du poète retrouvent le rythme de leurs gestes et celui de leur destinée. La reine, c'est Danielle Darrieux. Un grand rôle, celui d'une reine abandonnée de tous dans un palais de ruine et d'ennui. Jean Marais semble avoir accusé, à dessein, en Don César, le caractère irrévérencieux, bandit de haute classe que ce Grand d'Espagne déchu promène parmi les siens. Marcel Herrand est Don Salluste, l'âme noire qui perdra les amants.

L'aventure commencée à Épinay se poursuit en Italie. Dans la banlieue de Milan, sous un ciel d'un bleu immuable, Wakhévitch édifie en plein air une vaste place de style espagnol, face à l'église de Santa Mayor. Pendant ce temps, Jean Cocteau, Pierre Billon et Jean Marais parcourent en voiture toute la région des Dolomites pour y chercher les montagnes désolées capables d'évoquer à l'écran le plateau de Castille ou les monts d'Estramadure. Quand le décor est prêt, avec son palais austère et barbare, ses ruelles où pendent les linges, sa fontaine de pierre et les pointes acérées de ses grilles, les voyageurs reparaissent. Et, peu à peu, sur le cahier du découpage, les traits bleus se multiplient. Comme un puzzle que l'on remplit, chaque image « pensée » est une image inscrite… Il ne reste plus qu'à donner à ces milliers d'images l'ordre et le rythme qui en font maintenant une œuvre…

Lors de sa sortie, dès février 1948, Marais est l'incontestable vedette de la première au gala de Marignan. Le critique Robert Chazal résume l'opinion générale en écrivant : « Sans être injuste à l'égard de ses partenaires on peut dire que *Ruy Blas* n'a qu'un interprète, les autres n'ayant pour mission que de donner la réplique à Jean Marais, qui, constamment en progrès, est ici meilleur que dans n'importe lequel de ces

films antérieurs. Il a composé son double personnage avec une conscience professionnelle et
une intelligence qui lui font honneur. Il est fort
sympathique de voir un acteur, qui devait ses
premiers succès à son seul aspect physique, faire
des efforts pour réellement être à la hauteur de
sa réputation. »

Cependant, au lieu d'attirer le public, le nom
de Victor Hugo l'effraya. Le *Ruy Blas* de Jean
Cocteau ne connut le succès que dans les salles
populaires et à l'étranger. L'élite en était alors au
néo-réalisme, ne comprenant pas, *dixit* Cocteau,
que les films de Vittorio De Sica, de Roberto
Rossellini, de Pagliero, sont des contes de
conteurs arabes et relèvent des *Mille et Une
Nuits*. Ce qui n'empêchera pas le critique René
Gilson d'écrire plus tard : « Jean Cocteau a donc
récrit *Ruy Blas*. Comme il a bien fait ! Il a recom-
posé et structuré avec plus de rigueur que Victor
Hugo, il a pris la substance du dialogue dans les
alexandrins en les décapant, en faisant porter
par l'acide précision de sa langue toutes les che-
villes, les surplus de mots, les ronronnements
rythmiques. Il a écrit un "film actif au possible",
a-t-il dit, c'est-à-dire un film d'actions, c'est-à-
dire un film d'actes, comme on peut dire de son
théâtre qu'il est un théâtre d'actes. » Et le critique d'ajouter : « Ce *Ruy Blas* est un film
d'aventures, un film de cape et d'épée, le premier
et le plus beau de ceux que tournera plus tard,
dans le genre, Jean Marais. »

Au fond, quels sont les rivaux de Marais à l'époque ? François Périer ? Gérard Philipe ? Alain Cuny ? L'acteur enchaîne film sur film. À peine a-t-il fini *Ruy Blas* qu'il continue avec le tournage de l'adaptation cinématographique de *L'Aigle à deux têtes*, à l'automne 1947. C'est le 15 octobre 1947 que Cocteau donne le premier tour de manivelle de la pièce qui triomphait déjà sur la scène à Paris, Londres, Bruxelles, New York et Venise. Bénéficiant d'une autorisation spéciale de la Direction générale des Beaux-Arts, il peut tourner au château de Vizille, devenu pour l'occasion une impériale résidence autrichienne, les chaînes alpestres figurant les montagnes du Tyrol… Malgré son passage du théâtre au cinéma, le sujet reste inchangé. « Je ne peux rien vous dire sur mon film car, moi, je ne sais jamais ce que je fais. Mais mon équipe est formidable. Je n'ai jamais vu ça de ma vie. Chaque ouvrier est un génie et tous les techniciens sont des "hommes-fées" », dira le poète-cinéaste.

Malgré les machinistes, *L'Aigle à deux têtes* n'illustre pas un conte de fées. L'époque pendant laquelle se déroule l'action gravite autour de 1875. Christian Bérard a dessiné des costumes nouveaux, différents de ceux de la pièce, costumes dont Edwige Feuillère dit : « Ce qu'il y a de merveilleux chez Bérard, c'est qu'il ne fait pas la copie rigoureuse des toilettes d'époque, mais une adaptation idéalisée fort brillante qui convient parfaitement à l'écran. » Lorsque quelques journalistes parisiens débarquent à Uriage par un clair matin d'octobre, le quartier général de la production est plongé dans une profonde léthargie. Et pour cause ! La nuit s'est passée à tourner dans la cour du château des scènes importantes. Seule Yvonne de Bray, fantomatique, en lunettes noires et robe de chambre bleue, hante le hall de l'hôtel de l'Europe, pour tenter en vain d'obtenir une communication téléphonique : « Ne faites pas attention, je suis un peu abrutie : nous nous sommes couchés à sept heures du matin... », dit la grande comédienne que Cocteau a fait débuter au cinéma dans *L'Éternel Retour*.

L'ambiance est chaleureuse puisque, le 16 octobre, jour de la Sainte-Edwige, toute l'équipe fête Mlle Feuillère. La population lui envoie ses vœux, les machinistes font une collecte et lui offrent une impressionnante corbeille de fleurs qu'ils rapportent de Grenoble en Jeep. La production enfin fait faire un gâteau digne des films hollywoodiens : un mètre carré de superficie, vingt centimètres d'épaisseur et le nom d'Edwige brodé en sucre blanc sur le velours marron du chocolat ! Le préfet de l'Isère lui-même vient assister à un grand dîner offert par la presse le soir, et cinquante personnes se partagent ainsi le beau gâteau.

Jean Marais y arbore sa nouvelle chevelure : des cheveux blond-roux coupés en brosse de deux centimètres. Cela le rajeunit un peu et fait très « autrichien ». Jean Vulti se souvient de l'atmosphère bon enfant du tournage : « Je me suis rendu compte que tout le monde adorait Cocteau. » Des acteurs aux techniciens, tous apprécient le poète. Il y a certes parmi eux quelques fidèles, mais Christian Matras, le chef-opérateur, Hervé Bromberger, l'assistant technique, par exemple, travaillent pour la première fois avec lui. Chacun tient le même langage que la *script-girl* Marie-Thérèse : « Vous ne pouvez savoir comme Jean Cocteau est charmant et combien il est agréable de travailler avec lui. Son travail est merveilleusement organisé et pourtant, il garde quand même une libre inspiration. Et surtout, il crée une atmosphère amicale et cordiale autour de lui... »

Un petit moment d'angoisse pour Cocteau, lorsque, à la fin du film, tous les assureurs sont présents pour la fameuse chute. L'escalier a plus de trente marches et l'on craint que Marais ne se blesse. Jean Cocteau lui dit : « Lorsque tu seras tombé, surtout, ne bouge pas avant que j'aie dit : "Coupez". Il faudrait tout recommencer. » Marais fait sa cascade et tombe. Jean est si ému qu'il oublie de dire : « Coupez ! » Marais ne bouge pas, il attend. Un silence interminable s'ensuit, chacun retient sa respiration, surtout l'acteur, qui joue le mort. Un cri d'angoisse s'élève alors : « Jean, tu es blessé ? ! » Il le croyait mort, mais Marais se relève, il n'a pas le moindre bleu.

Après le tournage de *L'Aigle à deux têtes*, Jean Cocteau et Jean Marais s'achètent une maison, aux environs de Fontainebleau, dans l'Essonne, à Milly-la-Forêt. Cocteau désirait trouver un endroit au calme près de Paris. Cette dépendance du château de Milly est en fait l'ancienne maison du bailli. La demeure de caractère séduit immédiatement le couple. Son charme est incontestable. Au 11 bis, rue du Lau, la plus vieille rue pavée de Milly, avec son caniveau central, se termine en cul-de-sac devant une double porte romane et deux tourelles rouges. Jouxtant le château et ses douves, son jardin, comprenant un verger, derrière la passerelle qui enjambe la rivière, s'ouvre sur le bois de la Garenne... La maison est achetée en indivision, avec Marais, à l'hiver 1947. Ce ne sera pas sans gros efforts financiers. Cocteau écrit à Jeannot :

« *Milly coûte des fortunes. Je tâche de réunir les sommes et me demande comment nous vivrons après. Mais peu importe. Il vaut mieux avoir Milly et des difficultés que des difficultés au Palais-Royal. Alors vive Milly !* »

Naturellement, ils sont contraints d'emprunter, d'autant que des travaux d'aménagement se révèlent nécessaires [1]. Il est entendu que Cocteau

---

1. Selon James Lord, « Sa maison était conçue pour satisfaire l'envie qui avait été la sienne pendant sa vie entière de faire de l'habitation d'un poète le rendez-vous du bizarre et des arcanes de l'imaginaire. Même lorsqu'il était pauvre,

s'installera au premier étage et Marais au second. Au rez-de-chaussée, ils peuvent travailler sans se gêner. Ils y emménagent en novembre. Milly va devenir le doux refuge de Cocteau [1].

_____

il s'était toujours entouré d'objets étranges, baroques, qu'il avait créés lui-même pour un bon nombre, ou chinés au marché aux puces, et ses diverses demeures avaient impressionné d'innombrables amateurs d'art. Pour installer le décor de Milly, il ne dépendait heureusement pas uniquement de ses propres ressources, qui n'étaient pas mirifiques, et Francine Weisweiller, sa bienfaitrice, avait considéré comme logique d'y résider fréquemment. La décoration intérieure ne fut pas terminée avant plusieurs années et comprit de nombreux éléments bizarres et coûteux. La scène centrale était le grand salon du rez-de-chaussée. Des canapés victoriens et des cabinets néo-gothiques occupaient les murs extérieurs, mis en valeur par deux arbres fruitiers dorés, qui venaient soi-disant de Versailles, et une défense de narval absolument gigantesque montée en bronze. Les chaises étaient de style chinois ou composées de cornes de bison. Des moulages en bronze des mains de Cocteau jonchaient une table. Un somptueux tapis Savonnerie recouvrait le plancher. Sur le papier Art nouveau blanc et vert, étaient accrochés un pastel d'une danseuse de Degas et une grande toile de Bérard représentant la confrontation d'Œdipe et du Sphinx. La célèbre photo de Stravinski et Nijinski trônait dans un cadre d'argent. C'était dans ce décor hétéroclite et encombré que Cocteau recevait ses invités. »

1. « Comme on est loin à Milly de tout ce monde qui ne contrôle plus ses nerfs. Promenade délicieuse dans le jardin et le bois. Tout travaille et s'efforce de renaître. Tout se prépare trop vite, trompé par le soleil. L'année dernière, la campagne avait commis cette imprudence. Une nuit de gel la tue. On voudrait dire à chaque arbuste : "Prends garde" », écrira Cocteau.

C'est aussi l'époque où leur histoire d'amour cherche un nouveau souffle, comme si les tournages et les triomphes communs au théâtre ne suffisaient pas à leur bonheur ! C'est là qu'entre en scène, à l'automne 1947, Édouard Dermit.

L'itinéraire qui conduit Édouard Dermit de son lieu de naissance, le 18 janvier 1925 à Gallignano, dans la région de Trieste en Italie, à Milly-la-Forêt, est atypique. Issu d'une famille d'ouvriers, ses parents, peu de temps après sa naissance, viennent s'installer à Bouligny, à la limite de la Meuse et de la Meurthe-et-Moselle, où son père trouve du travail dans les mines de fer. Dans ce village qui a la tristesse des pays miniers, ils habitent une petite maison ouvrière avec un jardin minuscule. Cinq autres enfants naissent. Au début de la guerre, son père est déplacé dans les mines de charbon d'Alès, et la famille habitera le Gard pendant neuf mois. Puis ils rentrent en Lorraine. Édouard reçoit juste l'instruction suffisante pour savoir écrire correctement et parler un français acceptable. Son éducation et sa prime jeunesse sont rudes et dénuées de douceur. Tout naturellement, après l'école communale, à quatorze ans, Édouard suit son père et entre à la mine, où le travail est éreintant, la peur des accidents mortels constante et où l'on se soucie peu du bien-être des mineurs. Il passe huit heures sous la terre et l'équipe – un mineur, deux manœuvres – doit extraire un minimum de quarante tonnes par jour. S'ajoutent à ces épreuves les terribles difficultés de la vie sous l'Occupation, quand il est pratiquement impossible de se procurer une nourriture décente et qu'il n'existe aucune distraction dans ces affreuses villes minières polluées.

Dans ces conditions, toutes les qualités d'initiative, de détermination ou de joie de vivre qu'eût possédées en germe le jeune Édouard devaient être logiquement éradiquées avant qu'il n'eût vingt ans. Mais il dispose d'un atout, qui, avec un minimum de talent et un maximum de chance, peut transformer sa vie entière, comme si la nature avait voulu compenser : il est d'une beauté exceptionnelle, avec un visage d'ange. Et pour ne rien gâcher, son travail pénible lui a modelé un corps d'athlète grec. Cependant, tant d'avantages physiques ne lui sont d'aucune utilité dans le morne environnement des mines. Ils ne peuvent être mis en valeur que dans le cadre d'une grande métropole. Ainsi, Paris est la seule destination offrant la possibilité d'échapper à une vie sans avenir. Le jeune homme, qui a par ailleurs une autre ambition – celle de peindre –, prend des cours et vient donc de temps en temps à Paris visiter les galeries. L'épuisant labeur de la mine ne lui a pas ôté sa sensibilité. Au contraire.

À vingt et un ans, il lui faut beaucoup d'audace pour quitter l'Est et partir à l'assaut de la capitale, une aventure hasardeuse même si la nature a été si prodigue envers lui. Il se met en quête d'un emploi, mais ce n'est pas si facile dans une capitale qui lutte encore pour se remettre des ravages de la guerre et le nouvel arrivant n'a aucune compétence, hormis celle de la mine. Le travail de force ne lui fait pas peur, mais il s'aperçoit vite que son physique avantageux est un atout bien plus utile. La chance lui fait rencontrer un éditeur nommé Paul Morihien qui possède une librairie au Palais-Royal. C'est un ami de Cocteau… Son caractère doux et docile le prépare indéniablement au rôle que la providence va lui offrir.

Quand Cocteau, âgé de cinquante-sept ans, le rencontre à la librairie de Paul, le jeune homme a vingt-deux ans, est d'une beauté inouïe, d'une gentillesse désarmante et d'une grâce profonde. Sa séduction opère sur-le-champ. D'emblée, le poète décide de faire quelque chose pour lui :

— Seriez-vous prêt à travailler ailleurs ? lui demande-t-il.

— N'importe où, à condition que ce ne soit plus à la mine, répond Édouard.

— Bien ! J'ai pour vous une place d'aide-jardinier à Milly… mais pas avant la fin de l'automne.

Édouard Dermit dira plus tard qu'il a vécu cette rencontre comme un conte de fées, se bornant à accepter le destin tel qu'il se présentait. Quant à Jean, il déclare alors : « Je ne peux pas aider tous les mineurs du monde, mais j'aiderai celui-là ! » C'est finalement le 30 novembre que

Jean et Jeannot emmènent Dermit à Milly. Comme cadeau de bienvenue, Marais lui offre une belle boîte de peinture. Ce qui réjouira davantage encore l'aide-jardinier, c'est que Jean, au début de l'année 1948, lui fait faire ses débuts au cinéma, en tant que figurant, dans *L'Aigle à deux têtes*.

« Doudou » séduit tout le monde par sa douceur et sa simplicité généreuse. Du statut d'aide-jardinier, le jeune homme passe bientôt à celui de chauffeur : Jean, qui ne veut toujours pas conduire, lui a fait obtenir son permis. Puis, montant encore en grade, il devient le compagnon officiel de Jean, qui le fait désormais participer à toutes ces activités. Pendant les seize dernières années de la vie de Cocteau, Dermit va consentir à être son inséparable compagnon, le suivant partout, de l'appartement parisien à la maison de Milly-la-Forêt et à la villa Santo Sospir à Saint-Jean-Cap-Ferrat, où, à partir de 1950, ils furent les hôtes de Mme Francine Weisweiller pendant plus de dix ans. Lorsqu'une adoption légale se révéla impossible, Cocteau obtint de sa famille l'autorisation de faire de Dermit son légataire universel.

Pour leur ami, Clément Sitruk, « Cocteau souffrait des infidélités fréquentes de Marais. Il refusait d'exprimer sa jalousie, la jugeant mesquine et plaçait le bonheur de l'acteur au-dessus de tout. Mais quand Dermit est arrivé, Cocteau a compris que ses sacrifices permanents étaient inutiles. » L'arrivée d'Édouard Dermit marque la fin des rapports amoureux Cocteau-Marais, mais pas de leurs liens d'affection et de leurs ambitions professionnelles.

10

Chambres séparées

C'EST L'ÉPOQUE où Jean Marais décide d'avoir son *home, sweet home* à lui et choisit une péniche sur la Seine, tout en acajou et cuivre, avec des meubles de bateau du XIXe siècle. Ce *house-boat* fait penser à un caprice et son départ n'a pas l'air d'un départ pour ne pas vexer Cocteau.

Mais s'il avait eu besoin de publicité, il n'aurait pas pu mieux faire. Tous les journaux photographient son nouveau domicile, et sa décoration est même reproduite dans les expositions d'antiquaires. Il aménage la berge en un joli jardin. Un hiver, Coco Chanel lui demande de l'inviter à déjeuner. Comment Coco, si éprise de luxe, va-t-elle se trouver dans sa roulotte flottante ? La saison ne se prête pas à un air de fête. Il achète donc deux cents tulipes chez un fleuriste, coupées, naturellement, et il les pique sur la berge. Coco Chanel est éblouie. À son départ, les tulipes sont toutes courbées vers la terre. « Elles vous saluent, pour vous dire au revoir », lui dit-il. Coco comprend et rit de bon cœur.

L'année 1948 est marquée par le tournage et la sortie (en novembre) du film *Les Parents terribles*, adapté de la pièce. Même si Jean Marais n'a plus l'âge de Michel, le film constitue une réussite. La critique trouve que « Jean Marais a, là, son meilleur rôle. Et de loin. Sa création justifie pleinement l'espoir que tant de gens ont mis en lui. Il serait ridicule de dire que c'était facile parce que le personnage est lui-même. Rien n'est plus faux. Il a fait une véritable composition pleine d'une unité et d'une puissance dont aucun autre jeune premier n'aurait été capable ». Toute la presse encense le film, tel Georges Baume dans *Cinémonde* qui note : « M. Jean Cocteau, ayant pris, telles quelles, les répliques de sa pièce, s'est mis en tête d'"écrire" un film ; il use donc, en maître, c'était le moins de toutes les ressources, et Dieu sait si elles sont infinies, de son métier d'écrivain : il manie la périphrase, le style coup de poing, la construction parallèle, coquette avec le rapprochement saugrenu, adopte une ponctuation précise, bourre tout cela de gags qui aèrent, construit des liaisons habiles, utilise la mise en page, la suggestion, le récitatif, l'allusif, l'allitération et peut-être jusqu'à l'anacoluthe, que c'en est un plaisir. C'est un film à revoir qu'il nous donne. » Et les journalistes d'encenser Yvonne de Bray, dans le rôle de la mère : « Mme de Bray brandit son visage d'Antigone échevelée comme une torche, elle flambe, rougeoie, et nous réduit en cendres. Elle se promène sur l'écran comme dans la jungle. Son génie terrifie : elle est l'encre, faute de quoi Jean Cocteau n'aurait pu écrire son film. »

Le Figaro loue Cocteau : « Jean Cocteau n'est pas près de ne plus nous étonner. En littérature, au théâtre, au cinéma il a eu de ces réussites fulgurantes qui permettent de dire avec certitude que les futures générations retiendront au moins un nom parmi ceux des auteurs de notre époque : celui de Jean Cocteau, l'éternel enfant prodige. Mais la réussite cinématographique des *Parents terribles* est une date dans la vie de Cocteau, une date dans la production cinématographique mondiale, une date dans l'histoire des arts. Et ce qu'il y a de plus étonnant, en cette merveilleuse aventure d'un chef-d'œuvre parfait, c'est que, loué et goûté par les initiés, il sera aussi totalement goûté et loué par le grand public. *Les Parents terribles* constituent un spectacle au sens le plus complet du terme. Et c'est, sans doute, le meilleur spectacle que l'on ait vu sur les écrans français depuis bien longtemps. »

De fait, le film est considéré par les connaisseurs comme la plus importante réalisation technique du poète au cinéma. « Je souhaitais trois

choses, dira Cocteau au sujet du film, première-
ment, fixer le jeu d'artistes incomparables ; deu-
xièmement, me promener parmi eux et les
regarder en pleine figure au lieu de les voir à
distance sur une scène. Mettre, comme je vous
l'ai dit, mon œil au trou de la serrure et les sur-
prendre avec le téléobjectif. » L'économie obte-
nue par le transfert de la scène à l'écran, la
compression et la concentration de l'image, le
fait que Cocteau ait réussi à susciter chez le spectateur l'impression de se mêler aux acteurs,
l'action limitée à un petit nombre de scènes
d'intérieur dans un cadre bien adapté, l'absence
de séquences tournées en extérieur qui eussent
introduit de l'air dans une histoire essentielle-
ment confinée, l'utilisation de la caméra pour
prendre des premiers plans expressifs et vrais
ainsi que des natures mortes impossibles à montrer sur la scène – tout cela a fait la très grande
célébrité du film.

Le tournage ayant pour thème une famille,
que Cocteau comparait à une bande de bohé-
miens turbulents vivant dans une caravane, se
termine par un incident célèbre dans les annales
du cinéma et raconté par Marais : « Un détail
extraordinaire. Dans la scène finale, je suis, avec
Josette Day, au pied du lit d'Yvonne de Bray qui
vient de mourir. La caméra, qui nous prenait de
tout près, recule, recule en *travelling* prenant peu
à peu toute la chambre, tout l'appartement des
Parents terribles : c'est là-dessus que le mot fin

doit s'inscrire. Or, à la projection, le lendemain, on s'aperçoit que le rail du *travelling* était mal calé : depuis le début du mouvement, l'image tremble. Producteurs, opérateurs, interprètes, nous nous regardons accablés : il va falloir retourner la scène le lendemain. "Non, dit Cocteau, on ne va pas recommencer. Je vais mettre un texte sur cette image. Je vais dire : 'Et la roulotte continuait son chemin'." De fait, ce tremblement donnait l'impression que toute la maison était une grande roulotte cheminant sur une route au long des ornières. N'importe qui aurait recommencé. Il a transformé l'accident technique en trouvaille de pur poème. Pour moi, c'est cela le génie. »

Les Parents terribles, qu'Yvonne de Bray et Jean Marais reprennent en tournée à partir du 6 mars 1949, dans un spectacle donné au Caire, Alexandrie, Istanbul et Ankara, sont toujours actuels. Avant de partir, Cocteau note dans son journal : « Nous sommes le 20 février 1949. Nous prenons l'avion le 6 mars. Déjà nos premières valises nous précèdent. Nous répétons soit au *Journal*, rue de Richelieu, soit chez Yvonne de Bray, soit au théâtre Antoine, dont Simone Bériot nous prête les planches. Jean Marais tourne un film : *Mayerling*. Le jour, il tourne. La nuit, il répète six pièces. Jamais il ne se repose. Lorsqu'il le pourrait, il drape et taille les costumes de *Britannicus*. Il faudrait que les jeunes filles, qui le harcèlent et s'imaginent sans doute que l'existence d'une vedette est un rêve d'oisif, assistassent à son travail pour le comprendre. » Édouard est aussi de la tournée, qui comprend treize autres comédiens. De cette aventure, Cocteau rend compte dans son journal baptisé *Maalesh*, de l'esprit joyeux et bon enfant de tout ce petit monde, heureux qu'il est entre Dermit et Marais.

Les deux hommes seront réunis en août 1949 pendant le tournage d'*Orphée*, respectivement en Cégeste et le rôle-titre. Sur le plateau règne l'harmonie. « Lorsqu'on travaille pour Jean Cocteau, dira Marais, on sent que le moindre technicien, les maquilleurs, opérateurs, acteurs ont un grand bonheur de collaborer pour lui. Nous sommes sous le charme. Il n'y a pas là l'ombre de sorcellerie, mais on constate que tout vient de son cœur. Personne ne met plus d'amour à une œuvre. Il invente sans cesse et, s'il s'empare d'un mythe connu, comme pour *Orphée*, ce n'est pas pour s'en servir, mais par amour et admiration. »

Ce n'est pas tous les jours qu'on filme la poésie. *Orphée* est une aventure rarissime. Bien sûr, on ne pourrait parler de fraîcheur ou de spontanéité à propos de la poésie de Cocteau – que ce soit dans son cinéma, dans son théâtre ou dans son œuvre littéraire – mais il s'agit pourtant bien de poésie, puisque celui-ci s'efforce toujours d'exprimer, par le biais de l'art, ce qui, par tout autre moyen, serait littéralement inexprimable. De plus, et cela vaut d'être souligné plutôt deux fois qu'une, Cocteau est pratiquement le seul cinéaste au monde à refuser catégoriquement la commercialisation du cinéma.

Orphée est peut-être le meilleur film du poète-réalisateur ; c'est en tout cas l'effort le plus sérieux qui ait jamais été tenté de traduire en images – et quelles merveilleuses images ! – le problème métaphysique posé par l'existence de l'homme sur la terre. On ne raconte pas ce film, car on ne raconte pas ce qui est « inracontable » : la poésie. L'œuvre est remplie de symboles qu'il faut percer et qui vont très loin. C'est ainsi par exemple que Maria Casarès qui incarne la mort de Jean Marais incarne en même temps l'amour – celui qui dévore et non celui qui repose – et c'est en quoi elle est la mort du poète. Il faudrait écrire des pages et des pages pour développer le profond symbolisme que contiennent toutes ces images. Soulignons l'intéressante tentative de Jean Cocteau d'intégrer du réalisme dans l'ir-réel : c'est-à-dire de partir au départ sur une donnée en désaccord avec la réalité que nous connaissons, puis, à partir de ce moment, et sur cette base, faire vivre tous ses personnages d'une vie tout simplement quotidienne, avec des préoc-cupations, des paroles et des gestes ordinaires. Le film bénéficie d'une interprétation parfaite ; les quatre acteurs principaux sont de grands artistes qui harmonisent à merveille leur jeu au climat si particulier de Cocteau. Ce sont Jean Marais en Orphée, Marie Déa en Eurydice, Maria Casarès en princesse et François Périer en Heurtebise. Des autres artistes qui complètent la distribution, aucun, à aucun moment, ne fait le moindre geste ou ne dit le moindre mot qui pourrait constituer une fausse note. La complicité – on peut employer ce mot ici – du réalisateur et de ses interprètes est absolument parfaite.

Orphée est un des exemples éclatants de l'utilisation des ressources du film pour intensifier et élargir la fantaisie au-delà des possibilités de réalisation offertes par la scène. La lévitation de Heurtebise et le porte-miroir de la pièce jouée en 1926 ne sont rien auprès des séquences d'espaces indéfinissables balayés par le vent, des images doubles des acteurs, des chambres jumelles et des miroirs multiples que l'on voit dans le film. Le long métrage remporta le Prix de la Critique à la Mostra de Venise. Mais cela est de peu d'importance en regard du fait que Cocteau a, grâce à lui, consolidé sa grande décennie de poésie filmique. Il s'est approprié le film, et son inimitable usage du langage est pour une grande part dans son succès. « Il est probable, a-t-il dit, que l'écriture d'un auteur est la base même d'un film parlant, mais ce n'est qu'une base. La véritable syntaxe d'un film reste muette et sans mots. Le style est visuel. C'est d'après cette écriture, d'après le mécanisme des prises de vues et le rythme dans lequel on les enchaîne que doit se reconnaître la langue du cinéaste. »

Orphée en orbite, Cocteau peut se consacrer corps et âme au film *Les Enfants terribles* qu'adapte Jean-Pierre Melville avec Édouard Dermit dans le rôle de Paul, face à une extraordinaire Nicole Stéphane. L'été 1949 est une pause bienvenue parmi tous ses projets cinématographiques. Cocteau adapte en français *Un tramway nommé Désir* pour le théâtre Édouard-VII et reçoit la visite de Marlon Brando, pressenti deux ans plus tôt pour jouer *L'Aigle à deux têtes* à Broadway [1]. La visite a lieu dans l'intimité de la maison de Milly-la-Forêt.

Là, Cocteau pose sa délicate main sur la ferme poigne de Marlon, tandis qu'il lui montre fièrement son jardin découpé en longues allées comme un herbier du Moyen Âge. Il est particulièrement fier de ses poiriers en espalier. Apparemment, Cocteau et Marlon ont passé un accord silencieux : ne jamais évoquer le délicat sujet de sa piètre prestation aux côtés de Tallulah Bankhead dans *L'Aigle à deux têtes* ; un affreux souvenir, pour l'un comme pour l'autre. Assis

---

1. En 1947, on proposa au jeune acteur Marlon Brando d'interpréter la pièce de Jean Cocteau, *L'Aigle à deux têtes*, avec Tallulah Bankhead. La première répétition fut un désastre : selon certains, Brando y multiplia les pitreries pendant les monologues de sa partenaire, et surtout transforma sa mort en une interminable agonie qui fit pleurer de rire les spectateurs. Légende ou réalité ? Mais la conclusion ne se fit pas attendre : l'acteur fut remplacé dès le lendemain. Il ne le regretta pas. *L'Aigle à deux têtes* fut un four.

sur un banc devant le buste d'un sinistre génie, Cocteau fait la connaissance de Marlon. Il l'a vu jouer Tennessee Williams à Broadway en 1949, mais ne s'est jamais rendu dans les coulisses pour le rencontrer.

Ce jour-là, avant le déjeuner, et après la promenade au jardin, Cocteau invite l'acteur américain à entrer dans sa maison afin de la lui faire visiter. Marlon regarde partout autour de lui comme s'il venait de pénétrer dans un musée complètement excentrique. Les arbres fruitiers artificiels tout dorés sont un peu trop baroques à son goût. Et il doit certainement avoir un sursaut lorsqu'il pose les yeux sur une défense de narval de trois mètres de long. Un papier peint Art nouveau est posé sur chaque mur et forme une toile de fond à une grande peinture de Christian Bérard. Au déjeuner, Cocteau le présente à celui qu'il appelle « mon protégé », Édouard Dermit, « Doudou ». Le jeune Italo-Yougoslave se présente dans le maillot de bain le plus petit et le plus moulant que Marlon ait jamais vu, un maillot manifestement conçu pour exposer ses incontestables atouts. « Doudou peint des nus d'hommes, dit Cocteau à Marlon. Avant de repartir à Paris, vous devez absolument poser pour lui. » L'acteur accepte la proposition.

Trois jours plus tard, l'un des amis de Cocteau, Woodrow Parrish-Martin, un artiste américain, vient passer quelques jours à Milly. Dans le jardin de la maison, il trouve Doudou en train de peindre un nu de Marlon. Parrish-Martin expliquera plus tard qu'il s'agissait d'un nu frontal, mais que Marlon était drapé dans une toge romaine et portait des bottes. Cocteau avait placé une fausse colonne dorique à côté de l'acteur. D'après ses dires, Doudou et Marlon se battaient souvent nus dans le jardin, tandis que Cocteau faisait de fréquentes apparitions dans un peignoir japonais de soie noire.

Parrish-Martin réside toujours chez Cocteau lorsque Marlon repart pour Paris. Celui-ci fait la sourde oreille lorsque Cocteau le prie de bien vouloir rejouer le rôle de Stanley dans la version française d'*Un tramway*. Au cours du séjour de Brando, Cocteau apprend que le jeune acteur a pris des cours de danse. Il lui propose à plusieurs reprises d'écrire un ballet dont Marlon serait la star : « Cela ferait vraiment sensation à Paris. » Mais celui-ci lui fait clairement comprendre qu'il ne veut plus être danseur.

Au même moment, Jean Marais fait la connaissance d'un jeune danseur américain de treize ans son cadet, Georges Reich. Ce dernier, élève de Balanchine et de Martha Graham, se produit au Lido dans la nouvelle revue d'Annie Cordy, *Enchantement*. Marais se promet d'encourager sa carrière par tous les moyens, s'improvisant librettiste, costumier, metteur en scène et même producteur. En 1952, on voit Georges Reich danser sous sa direction au palais

de Chaillot puis, en 1955-1956, assurer la chorégraphie de *L'Apprenti-Fakir*, mis en scène par
Jean Marais au théâtre de la Porte-Saint-Martin.
Au départ, le danseur résiste à Jean Marais.
Jeannot le voit, le revoit sur scène, va et retourne
dans les coulisses, fait sa cour et insiste. Un beau
soir, invité à dîner sur la péniche, l'Américain se
sent mal et reste pour la nuit. Il n'en repart pas
le lendemain et entame avec Jeannot une *love-
story* à épisodes qui durera dix ans !

Mais la tendresse reste pleine entre Cocteau et
Marais. Toutes ses lettres commencent par
« Mon bon ange », « Mon fils chéri », « Mon
Jeannot » et, lorsque Cocteau travaille son livre
consacré à Jean Marais (*Jean Marais* chez
Calmann-Lévy), pas un seul instant son inspira-
teur ne quitte ses pensées :

> « *2 septembre 1950.*
> *Mon Jeannot,*
> *Je retravaille et retravaille notre livre. Je dis "notre"
> car j'y parle autant de moi que de toi et de notre
> manière commune d'envisager les choses. Le livre
> s'achève, du reste, sur un paragraphe assez drôle, dia-
> logue entre Argémone et Persicaire, personnages du
> Potomak. J'ai tâché de ne blesser personne et de com-
> menter certaines de tes notes dont je me contente de
> corriger les tours de phrases et temps de verbes (tout
> en préservant ton style). L'ensemble donne un livre
> grave et curieux qui serait un livre d'école pour les
> jeunes comédiens s'ils savaient lire. […] Je t'embrasse.*
> *Jean.* »

Ami de cœur il demeure, même si Édouard Dermit est l'ami de prédilection. Certes, Cocteau estime ridicule, à son âge, l'amour physique et se défend de coucher avec Doudou (« J'estime qu'à partir d'un certain âge, ces choses-là sont turpitudes », assène-t-il comme pour mieux s'en convaincre !). Marais reste celui qui fut aimé à la folie, là où Dermit représente un bonheur simple et sans vague. La beauté solaire d'Édouard et son goût des choses simples suffisent à remplir Cocteau de sérénité et de contentement.

Mais il n'y a pas un seul moment important de la vie de Marais sans une longue lettre affectueuse de Cocteau. Pas une seule première sans un télégramme de félicitations, pas un seul tournage sans un courrier tendre, pas un seul voyage sans sa carte de prédilection. Cocteau tisse en permanence de doux liens d'attachement et de sollicitude. Et quand, le 20 octobre 1955, Cocteau endosse « l'habit vert des immortels », Jean Marais est au premier rang des huit cents privilégiés venus écouter le discours à l'Académie française, comme si l'entrée sous la Coupole ne pouvait avoir lieu sans la présence du beau Jeannot.

Ils se retrouvent sur un ultime tournage en septembre-novembre 1959 : *Le Testament d'Orphée*. Le film ne se raconte pas. Jean Cocteau a voulu réaliser un long métrage poétique, fait de rencontres insolites où il use et abuse des truquages cinématographiques et surtout du procédé du

« film à l'envers ». Pour décor, tantôt un studio vide (celui de la Victorine à Nice), tantôt des chemins en Provence, tantôt d'étonnantes carrières abandonnées (près des Baux). Comme personnages, des comédiens qui jouent des rôles empruntés généralement à d'autres œuvres de Cocteau tels Maria Casarès et François Périer venus tout droit du film *Orphée* ainsi qu'Édouard Dermit (la déesse de la mort, l'ange Heurtebise et Cégeste) et Jean Marais en Œdipe aveugle. Autres personnages (muets), des amis de l'auteur, d'ailleurs célèbres : dans une sorte de loge de la carrière, Picasso, Luis-Miguel Dominguin et Lucia Bose, Serge Lifar et Charles Aznavour. Françoise Sagan y joue même les figurantes.

Un testament à l'adresse de Marais ? Non, car d'abord qu'est-ce qu'un testament, sinon le moyen qu'ont trouvé les vivants de faire parler les morts ? Un testament, c'est un peu aussi un dernier coup de gouvernail destiné à guider ceux qui restent dans le labyrinthe d'une vie qui s'en va. Un testament, c'est donc, en définitive, un coup de sonde et non un coup de chapeau. Jean Cocteau parle trop du mystère pour en avoir fait une approche réelle. Il stigmatise à trop grands cris les logiciens pour n'être pas lui-même assez dérisoirement prisonnier de la logique. Il clame enfin un peu trop haut qu'il est « le Poète » pour que la poésie ne lui échappe pas dramatiquement. En fait, *Le Testament d'Orphée* est comme un terrible et pathétique aveu d'impuissance.

Vu sous l'angle strictement autobiographique, le film met en scène une autre rencontre significative : quand Œdipe, aveugle, appuyé sur Antigone, sort d'une des portes de Thèbes, il croise le poète qui, les yeux couverts d'yeux artificiels, s'éloigne sans l'avoir vu ; et le commentaire ajoute : « Ceux qu'on a trop voulu connaître, il est possible qu'on les rencontre un jour sans les voir. » À la projection, cette phrase choquera Jean Marais, comme si cet aveu d'impuissance avait un écho autobiographique.

Toute ambiguïté est levée en mai 1963 lorsque Cocteau vient en villégiature chez Jean Marais pour se remettre d'une crise cardiaque. Et lorsque, le 11 octobre 1963, Cocteau meurt, quelques heures après Édith Piaf, pris d'étouffement, Jean Marais est le premier prévenu et le premier à arriver à Milly-la-Forêt. « Dès qu'il eut été pris d'étouffements, racontera Marais, Doudou avait appelé l'hôpital de Fontainebleau. Les tentes à oxygène n'arrivèrent pas à temps. La vie pour moi s'arrêtait. Je ne sais comment j'ai pu conduire ma voiture jusqu'à Milly. Revêtu de son costume d'académicien, Jean était couché sur un lit qu'on avait descendu dans le salon. Sa belle épée, qu'il avait lui-même dessinée, sur lui. »

Marais dira simplement dans ses Mémoires : « Jean, je ne pleure pas. Je vais dormir. Je vais m'endormir en te regardant, et mourir, puisque désormais je ferai semblant de vivre… »

Jean Marais se montrera un serviteur passionné de l'œuvre de Cocteau, jouant et mettant en scène de nombreuses œuvres du poète. Deux mois avant sa mort, en novembre 1998, Marais répondra à une interview :

— *Que voulez-vous que l'on dise de vous plus tard ?*

— Rien. Je me fous de ma postérité, mais pas de celle de Cocteau.

— *Et s'il revenait d'un coup, d'un seul ?*

— Je ne lui dirais rien. Je l'embrasserais.

— *C'est tout ?*

— Oui. Maintenant, je suis plus vieux que lui. Avant, j'avais l'âge d'être son fils, ensuite j'ai été son jumeau, maintenant je suis son grand frère. J'ai dix ans de plus que lui.

— *Qu'aimait-il à vous répéter ?*

— « Jeannot, mon bon ange, veille sur toi, c'est-à-dire sur moi et sur nous. »

Annexes

Chronologie de Jean Cocteau

1889
— Naissance de Jean Cocteau à Maisons-Laffitte, le 5 juillet, dans une famille de la grande bourgeoisie parisienne. Il est le frère de Marthe (1877-1958) et de Paul (1881-1961).

1898
— Mort de son père, Georges Cocteau, avocat, devenu rentier. Il se suicide le 5 avril chez lui d'une balle dans la tête, pour des raisons indéterminées. Ce n'est qu'en 1963, année de sa propre mort, que Cocteau parlera publiquement de cette mort tragique, au cours d'une émission télévisée.

1899
— Mort de sa grand-mère maternelle, Émilie Lecomte, au printemps.
— La famille vient s'installer à Paris. Études au lycée Condorcet.
— Se passionne pour le théâtre.

1905
— Devient un des piliers de l'Eldorado, où se produit entre autres Mistinguett.
— Il fait ses débuts littéraires avec des vers d'un tour classique au théâtre Fémina.

1906

— Mort de son grand-père maternel (Lecomte) en avril.

— Rate son baccalauréat et la seconde session également.

— Première expérience du tabac « opiassé ».

1907

— Mariage de sa sœur avec Jean Raimon le 20 mai.

— Nouvel échec aux deux sessions du baccalauréat, abandonne les études.

1908

— Séance de poésie organisée par le comédien Édouard de Max, célèbre tragédien.

— S'installe un pied-à-terre dans une dépendance de l'hôtel Biron, rue de Varenne, où il fréquente la jeunesse dandy.

1909

— Fonde une revue de luxe, *Schéhérazade*, avec Maurice Rostand et François Bernouard.

— Parution du premier recueil de poèmes, *La Lampe d'Aladin*.

— Le 19 mai, première des Ballets russes au Châtelet. Par l'intermédiaire de Misia Sert, il entre en relation avec Diaghilev et le milieu artistique, se lie avec Nijinski.

— Rencontre des personnalités mondaines telles que Mauriac, Guitry, Daudet, Proust, Gide.

1910

— « Aventure » avec l'actrice Madeleine Carlier.

— Parution du *Prince frivole*, deuxième recueil poétique.

1911

— Rencontre avec Anna de Noailles, Charles Péguy, l'impératrice Eugénie et par Diaghilev il fait la connaissance d'Igor Stravinski.

1912

— *La Danse de Sophocle* sera le dernier recueil de poèmes classiques.

— Diaghilev, sur la place de la Concorde, lance un soir à Cocteau une repartie qui allait le marquer et lui permettre d'évoluer profondément : « Étonne-moi ! » Cocteau dira de cette période et à propos de Marcel Proust qu'il voyait : « Sans doute, Proust, unique à démêler l'architecture d'une vie, en savait-il plus long que moi sur cet avenir que tout me cachait, d'autant plus que je croyais mon présent de premier ordre, alors que plus tard, je devais le considérer comme une suite de fautes graves. »

1913

— Rencontre avec Alain-Fournier et Charles Péguy.

— *Le Potomak*, « le livre de la mue », commencé à Offranville, chez Jacques-Émile Blanche et sous l'œil d'André Gide, prend forme. Ce livre (poésie-roman) marque la rupture avec sa jeunesse frivole, « pour accéder à la vérité intérieure », ainsi qu'il le dira.

1914

— Baptême de l'air avec l'aviateur Roland Garros à Villacoublay.

— Le 7 août, c'est la guerre. Réformé, Jean Cocteau se fait engager au service de la Croix-Rouge dirigé par Misia Sert.

— Classé dans le service auxiliaire fin novembre, il est convoyeur d'ambulances avec Étienne de Beaumont, sur le front de Flandre en décembre. Il y connaît « les horreurs de la guerre ».

1915

— Préparation du futur recueil de poésies *Cap de Bonne-Espérance.*

— Fait la rencontre de Picasso qu'il emmène chez Diaghilev, de Braque, Derain et Erik Satie.

— Le 18 décembre, départ pour Nieuport ; il est ambulancier chez les fusiliers marins.

1916

— Retourne au Front. Nouvelle expérience de l'opium.

— Par Picasso, lors d'une permission au printemps, découvre les artistes de Montparnasse dont Modigliani, Apollinaire, Max Jacob, Paul Reverdy, André Salmon, Blaise Cendrars.

— En juin, nouvelle affectation dans la Somme.

— En septembre, sur l'intervention de Philippe Berthelot, il évite de retourner au Front.

— Fait la connaissance de Guillaume Apollinaire rentré blessé à la tête, et participe au banquet donné en son honneur le 31 décembre.

1917

— Cocteau dit : « Les intellectuels s'étaient portés vers le patriotisme et tout à coup le patriotisme de l'art a pris une intensité extraordinaire, parce que le patriotisme tout court avait en quelque sorte débarrassé la ville des intellectuels de surface. » De ces rencontres naît *Parade* (musique d'Erik Satie, décors de Pablo Picasso, livret de Cocteau, chorégraphie de Léonide Massine avec les Ballets russes, présentation de Guillaume Apollinaire dans laquelle fut inventé le mot « surréalisme »).

— Le 18 mai, première de *Parade* au Châtelet. Scandalise les « conservateurs » par son esprit nouveau.

— 17 août-15 octobre. Premier séjour au Piquey, près d'Arcachon, avec les Lhote. Pêche un peu et lit beaucoup.

— 30 décembre : séjour à Grasse jusqu'au 10 février, chez les Croisset.

1918

— Compose « un petit livre sur la musique » : *Le Coq et l'Arlequin*, qui paraîtra, l'hiver suivant, aux Éditions de la Sirène, où l'a introduit Blaise Cendrars et qui le brouille avec Stravinski.

— Séances musicales et poétiques avec de jeunes musiciens (futur « Groupe des Six »).

— Jean Cocteau est définitivement réformé. Paul, son frère, est décoré de la Légion d'honneur.

— Le 12 juillet, mariage de Pablo Picasso avec Olga Koklova. Il a pris Guillaume Apollinaire, Jean Cocteau et Max Jacob comme témoins.

— En octobre, début d'une correspondance avec Louis Aragon, qui durera jusqu'en février 1920.

— Mort de Guillaume Apollinaire le 9 novembre. Jean Cocteau se croit autorisé à lui succéder comme porte-flambeau de l'Esprit nouveau.

— Le 7 décembre, il achève de faire imprimer *Cap de Bonne-Espérance*, qui ne sera distribué qu'en janvier 1919.

1919

— 31 mars-11 août : travaille comme journaliste-chroniqueur à *Paris-Midi*.

— 20 mai : parution du *Potomak*.

— Rencontre, chez Max Jacob, de Raymond Radiguet, prodige de seize ans. Coup de foudre !

1920

— Avec l'aide d'Étienne de Beaumont, il monte *Le Bœuf sur le toit*, farce interprétée par des clowns, les Fratellini, musique de Darius Milhaud. Assez vif succès.

— Avec Radiguet, il fonde la revue *Le Coq*. Elle s'interrompra en novembre (n° 4).

— Parution de *Poésies (1917-1920)*.

1921

— Au grand désespoir de sa mère, Jean Cocteau et sa bande d'amis lancent le bar Gaya, rue Duphot, où joue le pianiste de jazz Jean Wiener.

— Il crée *Les Mariés de la Tour Eiffel*, qui scandalise les « modernistes ». Spectacle à propos duquel il commente les réactions du public en disant : « Avec *Les Mariés de la Tour Eiffel*, j'ai donné mon plus beau jouet au public. Mais le public est une grande personne et se vexe beaucoup si on lui offre des jouets. »

— Raymond Radiguet écrit *Le Diable au corps* pendant leur séjour au Piquey.

1922

— Enterrement de Proust, suivi avec Radiguet, le 21 novembre.

— Au Lavandou, Radiguet écrit *Le Bal du comte d'Orgel*, pendant que Cocteau adapte *Antigone*, dont la première a lieu le 20 décembre, chez Dullin (décor de Pablo Picasso, musique d'Arthur Honegger, costumes de Chanel « magnifiquement simples »). Cocteau dira : « J'avais désiré pour vêtir mes princesses, Melle Chanel, parce qu'elle est notre première couturière, et je n'imagine pas les filles d'Œdipe s'habillant chez une petite couturière. »

— Année d'une exceptionnelle fécondité : il écrit les romans *Le Grand Écart*, *Thomas l'imposteur*, *La Rose de François*. « Le roman me donne du plaisir, alors que la poésie est une souffrance et la critique un jeu », dit-il. Beaucoup de dessins pour... *Dessins* et de poèmes, dont *Plain-Chant* et un livre de mémoires-critique : *Le Secret professionnel*.

1923

— S'emploie avec succès à faire exempter Radiguet de service militaire.

— Voyage à Londres avec Raymond Radiguet, en avril et visite d'Oxford.

— Réussit à faire attribuer à Raymond Radiguet le prix du Nouveau Monde pour *Le Diable au corps*.

— 10 juillet-14 octobre : vacances au Piquey, à l'hôtel Chanteclerc, avec Raymond Radiguet.

— Fuyant Jean Cocteau, Raymond Radiguet s'installe à l'hôtel Foyot avec Bronya Perlmutter. Une typhoïde se déclare, soignée trop tard.

— 12 décembre : mort de Raymond Radiguet. Jean Cocteau, en proie à une immense douleur, n'assistera pas aux obsèques. Le dernier roman du jeune homme, *Le Bal du comte d'Orgel*, fut publié en 1924 par Bernard Grasset, préfacé par Cocteau.

1924

— Diaghilev l'emmène à Monte-Carlo d'où Cocteau écrit à son éditeur : « Voilà, j'ai eu un grand malheur. Je me suis sauvé. Ici, mes amis musiciens me soignent. Quand écrirais-je ? Pardonnez-moi, Radiguet était mon fils. »

— Période de dépression : recourt à l'opium avec Auric et Poulenc dans sa chambre de l'hôtel Chantecler à Monte-Carlo.

— Première de *Roméo et Juliette*, au théâtre de la Cigale.

— Le 20 juin, première du *Train bleu*, la dernière œuvre de Jean Cocteau pour Serge de Diaghilev (musique de Darius Milhaud, costumes de Chanel).

— Séjour à Villefranche-sur-Mer à l'hôtel Welcome.

1925

— Mi-mars-fin avril : première cure de désintoxication à la clinique des Thermes urbains, rue Chateaubriand, à Paris. Peu de visites et beaucoup de dessins (*Maison de santé*, publié en 1926).

— Se réconcilie avec Stravinski. Se brouille avec les surréalistes.

— Parution de *Cri écrit*, très court poème, et des trente autoportraits du *Mystère de Jean l'oiseleur*, dessins dédiés à Stravinski.

— Rencontre capitale avec Christian Bérard.

— Il écrit les recueils de poèmes *Opéra*, *L'Ange Heurtebis*e et termine *Orphée*.

— Bilan moral et religieux.

1926

— Première d'*Orphée* le 17 juin, chez les Pitoëff, au théâtre des Arts (décor de Jean Hugo, robes de Chanel).

— Rencontre de Jean Desbordes.

1927

— Quitte définitivement le domicile de sa mère. Ira, pendant dix ans, d'un hôtel du quartier de la Madeleine à l'autre.

— Il écrit *Œdipus Rex* pour Igor Stravinski.

— Termine *La Voix humaine* en décembre : un tour de force théâtral.

1928

— Il réalise une complainte en trois actes : *Le Pauvre Matelot*, à l'Opéra-Comique, sur une musique de Darius Milhaud et une chorégraphie de L. Virard.

— Perquisition et saisie de drogue fin mai : Jean Cocteau va au dépôt. Le préfet de police le fait libérer.

— Sa préface à *J'adore* de Jean Desbordes scandalise les milieux catholiques.

— Première d'*Œdipus Rex*, musique d'Igor Stravinski, texte de Jean Cocteau, traduit en latin par Jean Daniélou. Cocteau est évincé du rôle de récitant par Igor Stravinski.

— Il écrit *Le Livre blanc*, un roman illustré, puis publie *Le Mystère laïc*, illustré par Giorgio De Chirico.

— Deuxième cure de désintoxication offerte par Chanel, dans une maison de santé à Saint-Cloud. Il y écrit un recueil de poèmes, *Opium*, dont le manuscrit compte soixante-seize dessins à la plume et écrit *Les Enfants terribles* en dix-sept jours.

1929

— À Roquebrune, en août-septembre, il engage un *boy* annamite, Biou.

— Beaucoup de soucis avec Jean Desbordes.

— En automne, Jean Cocteau s'installe au Madeleine-Palace-Hôtel, 1, rue Tronchet et déjeune chez « Duphot ».

— La critique salue enfin *Les Enfants terribles* comme un « chef-d'œuvre » C'est son meilleur roman.

1930

— Le 15 février, première de *La Voix humaine*.

— Cocteau ainsi que Luis Buñuel reçoivent de leur ami le vicomte Charles de Noailles un don d'un million de francs pour réaliser un film en toute liberté. Cocteau réalise *Le Sang d'un poète*, tandis que Luis Buñuel tourne *L'Âge d'Or*.

— Séjour à l'hôtel de la Rade, à Toulon, avec Christian Bérard et Jean Desbordes.

1931

— À Toulon avec Christian Bérard et Jean Desbordes, il tombe gravement malade fin août (typhoïde) : quarante jours de clinique. Convalescence à la Villa Blanche, chez les Bourdet.

— Assiste au mariage d'Auric, à Saint-Paul-de-Vence.

— En novembre, Cocteau s'installe au 9, rue Vignon, à proximité de la Comédie-Française ; il fume l'opium de plus belle.

1932

— Au printemps, début d'une amitié amoureuse et orageuse – par la faute de Marie-Laure de Noailles, jalouse – avec Natalie Paley, vingt-sept ans, nièce du tsar Alexandre III et épouse du couturier Lucien Lelong. Tout s'apaisera à l'automne, après une explication avec le mari.

— En avril, parution d'*Essai de critique indirecte,* suivi en juin de *Morceaux choisis* (poèmes).

— À Saint-Mandrier, il termine *La Machine infernale,* qu'il lit notamment à Louis Jouvet.

— Il fait la connaissance de Marcel Khill qu'il engagera bientôt comme secrétaire.

1933

— Cure de diététique et de solitude à Paris, dirigée par le docteur Rosenthal. Séjourne quelques semaines au château de Briacé, près de Nantes (soleil, sommeil et suralimentation). Nouvelle cure de désintoxication.

1934

— Le 9 avril, première de *La Machine infernale,* à la Comédie des Champs-Élysées.

— Il rédige et termine *Les Chevaliers de la Table ronde,* en choisit la musique, chez Purcell.

— Il ébauche une idylle épistolaire avec Louise de Vilmorin, dont il a découvert la *Sainte Unefois* dans l'enthousiasme.

— Cocteau termine son séjour à Corsier en compagnie d'un nouvel ami, Pierrot Nicolas, ancien détenu au bagne de Calvi.

— Il quitte la rue Vignon pour s'installer au Madeleine-Palace-Hôtel, 19, place de la Madeleine, face à « Fauchon ».

1935

— Il donne au *Figaro* du samedi la série des *Portraits-souvenir,* illustrés de dessins. Vif succès.

— Cocteau passe l'été sur la Côte d'Azur avec Marcel Khill.

— À l'automne, il change à nouveau d'adresse à Paris : hôtel de Castille, 37, rue Cambon (la rue de Coco Chanel).

1936

— Du 29 mars au 17 juin, Cocteau, grand reporter, fait le « Tour du monde en 80 jours » sur l'itinéraire de Phileas Fogg, le héros de Jules Verne : Rome, Athènes, Alexandrie, Le Caire. Train entre Bombay et Rangoon. Singapour, Hong-Kong. Il découvre sur son bateau la présence de Chaplin et de sa femme, l'actrice Paulette Goddard. Poursuit vers Tokyo, Honolulu, San Francisco, Hollywood et New York. Le reportage paraît au mois d'août, dans *Paris-Soir*, puis en volume, sous le titre : *Mon premier voyage*, avec une dédicace à Gide, qui l'accusait de ne pas savoir prendre son temps.

— Sa sœur Marthe, veuve de Jean Raimon, se remarie le 21 octobre, avec Henri Boussard de La Chapelle.

— Gide est chargé par Jean Cocteau de favoriser sa réconciliation avec Louis Aragon.

1937

— Chronique régulière à *Ce soir*, le quotidien d'Aragon, une rubrique intitulée « Articles de Paris », où il se sent libre d'« écrire n'importe quoi ».

— Au printemps, lors d'une audition des élèves de Raymond Rouleau, avant *Œdipe-Roi*, Cocteau est émerveillé par Jean Marais et lui fait donner le rôle du chœur.

— Débuts de Jean Marais, le 12 juillet, dans *Œdipe-Roi* au théâtre Antoine et le 14 octobre dans *Les*

Chevaliers de la Table ronde, au théâtre de l'Œuvre. Cocteau et Marais vivent ensemble.

— Dernier voyage avec Marcel Khill, à Marseille en fin d'année.

1938

— Cocteau écrit *Les Parents terribles*. La pièce se joue en premier lieu au théâtre des Ambassadeurs, puis après l'interdiction faite par le conseil municipal sous prétexte de moralité, se produira au théâtre des Bouffes-Parisiens.

— Il emménage au 9, place de la Madeleine, avec Jean Marais, dans un grand sept pièces.

1939

— Séjour au Piquey avec Jean Marais, comme au temps de Radiguet : il y écrit *La Fin du Potomak* avec cette sensibilité des animaux qui, à la veille des cataclysmes, cherchent un endroit où mourir.

— Il écrira ensuite *La Machine à écrire*. Cocteau aurait rédigé sa pièce, selon ses dires, « en cinq jours, sans une rature, d'un seul mouvement ».

— La guerre surprend Cocteau et Marais à Saint-Tropez. Marais est mobilisé et Cocteau s'installe d'abord auprès de Chanel à l'hôtel Ritz, puis à bord du *Scarabée*. Il y écrit *Les Monstres sacrés*.

— Il fait l'adaptation et les dialogues du film de Marcel L'Herbier, *La Comédie du bonheur*.

1940

— Première des *Monstres sacrés*, au théâtre Michel, en février.

— Les Bouffes-Parisiens prendront la suite, avec *Le Bel Indifférent* qu'il a créé pour Édith Piaf et Paul Meurisse.

— Cocteau, séduit par le Palais-Royal, loue un appartement au 36, rue de Montpensier.

— Début juin, c'est l'exode avec l'éditeur Raoul Breton jusqu'à Perpignan où il s'installe chez le docteur Nicolau. Jean Marais parviendra à le rejoindre.

— Violente attaque de Claude Mauriac dans un article intitulé « Autour de Jean Cocteau ».

— Nouvelle cure de désintoxication, à la clinique Lyautey, en fin d'année.

1941

— Le 29 mai, création, au théâtre des Arts, de *La Machine à écrire*. Marais a signé les décors et tient deux rôles. Violentes attaques des critiques collaborationnistes Rebatet et Laubreaux. Il sera d'ailleurs victime jusqu'à la fin de la guerre d'une campagne haineuse.

— Marais « casse la figure » à Laubreaux, au sortir d'un restaurant. Le Tout-Paris applaudit.

— Nouvelle reprise des *Parents terribles*, devant une salle enthousiaste, mais qui sera vite interdite après des manifestations de l'extrême droite. Giraudoux, à cette époque de persécution, écrit à Cocteau : « Quand on veut nous taper dessus, on tape sur toi. Tu es le paratonnerre idéal pour nous éviter la foudre. »

— Il adapte *Juliette ou la Clef des songes* de Georges Neveux, pour un film projeté par Marcel Carné, avec Marais. Le projet sera abandonné.

— Il entame une collaboration culturelle au journal *Comœdia* sous le titre : *Le Foyer des artistes*.

— Jean Marais présente à Cocteau Paul Morihien, un flirt, aussitôt engagé comme secrétaire. Étrange ménage à trois.

1942

— En janvier, *Renaud et Armide* est reçu avec succès à la Comédie-Française, mais Jean-Louis Vaudoyer, transmet à Cocteau le refus du ministre Carcopino. Cocteau écrit au maréchal Pétain.

— Membre du jury du Conservatoire d'art dramatique, Cocteau « découvre » Jean Desailly, Maria Casarès et Simone Valère.

— Discours à la Société des gens de lettres, pour le centenaire de Mallarmé, le 22 mars.

— Le 15 mai, il assiste à l'inauguration de l'exposition Arno Breker, à l'Orangerie, et le 23 mai, il écrit le tristement célèbre « Salut à Breker » dans *Comœdia*.

— Pour le cinéma, il achève le scénario de *L'Éternel Retour* de Jean Delannoy, et écrit ceux du *Baron fantôme*, pour Serge de Poligny.

— À l'automne, il participe au tournage du *Baron fantôme* : il interprète le vieux baron.

1943

— Mort, le 20 janvier, de sa mère, Eugénie Cocteau, qui vivait retirée dans une institution religieuse.

— Succès d'*Antigone*, à l'Opéra.

— Au théâtre Édouard-VII, récital de poèmes de Cocteau, avec Serge Lifar.

— Première de *Renaud et Armide*, à la Comédie-Française.

— Départ pour Nice, en avril, pour le tournage de *L'Éternel Retour*, aux studios de la Victorine.

— Témoigne en Cour de Justice pour Jean Genet.

— Interprète Musset dans *La Malibran*, un film de Sacha Guitry.

— En août, il sera victime d'une agression par les membres de la LVF, avenue des Champs-Élysées, pour avoir refusé de saluer leur drapeau.

— *L'Éternel Retour* est un triomphe sans précédent.

— Séjour en Bretagne avec Jean Marais et Paul Morihien, dans le manoir de Tal Moor. La pièce *L'Aigle à deux têtes* est enfin achevée à Noël.

1944

— Cocteau tente vainement de sauver Max Jacob qui meurt à Drancy le 4 février.

— Parution de « Léone » (poèmes).

— Mort de Giraudoux : Cocteau le dessine sur son lit de mort.

— Il travaille jusqu'à la fin novembre avec Robert Bresson aux dialogues de son film *Les Dames du Bois de Boulogne.*

— En juin, il assiste à une conférence de Sartre : « Le style dramatique ». Débat avec Jean-Louis Barrault, Camus, Salacrou, et Simone de Beauvoir.

1945

— Il signe la pétition demandant la grâce de Robert Brasillach.

— Début du tournage de *La Belle et la Bête*, à Rochecorbon (avec Jean Marais, Josette Day, Mila Parély, Nane Germon, Marcel André et Michel Auclair) ; en septembre, retour à Paris pour poursuivre les prises de vues en studio et près de Senlis au château de Raray.

— Souffrant d'urticaire et de furonculose, Cocteau doit interrompre le tournage. Hospitalisation à Pasteur, le 24 septembre. Le tournage reprendra en novembre pour s'achever en janvier 1946.

1946

— Création au théâtre des Champs-Élysées du *Jeune Homme et la Mort*, ballet de Cocteau dansé par Jean Babilée, sur une chaconne de J. S. Bach.

— Cure à La Roche-Posay. Cocteau travaille à son adaptation de *Ruy Blas* pour l'écran.

— Visite, à Milly-la-Forêt, de la maison qu'il aimerait acheter avec Marais.

— Au festival de Cannes, *La Belle et la Bête*. Le prix Louis-Delluc lui est décerné en décembre.

— Publication du poème *La Crucifixion* par Paul Morihien.

— Création au théâtre de *L'Aigle à deux têtes* à Bruxelles, puis le 22 décembre à Paris avec Edwige Feuillère et qui sera porté à l'écran avec elle, Jean Marais, Silvia Montfort, Yvonne de Bray et Jean Debucourt.

1947

— Tournage de *Ruy Blas*.

— Achat de la maison du bailli à Milly-la-Forêt, en indivision avec Jean Marais. Ils y emménagent à l'automne.

— Rencontre avec Édouard Dermit, qui deviendra son fils « adoptif » et son légataire universel.

— Il écrit *La Difficulté d'être* (roman) et *Le Foyer des artistes* (mémoires), reprenant une partie des articles de *Ce soir* et *Comœdia*.

— En octobre, tournage des extérieurs de *L'Aigle à deux têtes*, au château de Vizille.
— Écrit le scénario d'*Orphée*.

1948
— Sortie de *Ruy Blas*, film de Pierre Billon en février. Demi-succès.
— Il dessine les cartons de tapisserie pour *Judith et Holopherne* et adapte *Les Enfants terribles* pour Jean-Pierre Melville.
— Sortie du film *Les Parents terribles*. Grand succès.
— À la fin de l'année, il part pour les États-Unis et y rencontrera Natalie Paley, Greta Garbo, Marlène Dietrich, Al Brown et Marlon Brando.

1949
— Cocteau écrit, dans l'avion du retour, *La Lettre aux Américains*.
— Début février, mort subite de Bérard, le décorateur de génie.
— De mars à mai : tournée théâtrale avec Marais et Dermit : Égypte, Liban, Turquie. Au programme : *La Machine infernale*, *Les Parents terribles*, *Les Monstres sacrés* et *Britannicus*. Son livre *Maalesh* racontera le périple.
— Pour Arletty, il adapte la pièce de Tennessee Williams, *Un tramway nommé Désir*. Rêve que Brando le joue en France.
— Au festival de Venise, Anna Magnani triomphe dans *La Voix humaine*, un film de Roberto Rossellini.
— En août, tournage d'*Orphée*, qui se terminera fin novembre, malgré une sciatique. Le film est réalisé dans les décors d'Eaubonne sur des cartons de Bérard, avec Jean Marais, Maria Casarès, Marie

Déa, François Périer, Henri Crémieux, Roger Blin, Juliette Gréco, Édouard Dermit, Pierre Bertin, Jacques Varennes.
— Fait chevalier de la Légion d'honneur.
— Cocteau organise à Biarritz le Festival du Film maudit. Orson Welles y fait une apparition.
— En fin d'année, début du tournage du film de Jean-Pierre Melville *Les Enfants terribles*, sur le plateau duquel il rencontre Francine Weisweiller, qui deviendra son amie pendant dix ans.

1950
— Présentation d'*Orphée* à Cannes.
— En mai, premier séjour à la villa Santo Sospir, à Saint-Jean-Cap-Ferrat. Il entreprend d'en décorer les murs, pièce après pièce.
— Création du ballet *Phèdre*, à l'Opéra de Paris, musique de G. Auric, chorégraphie de S. Lifar. Cocteau aurait aimé que Garbo joue ce ballet.
— « Nostra » de Venise : Prix international de la critique à *Orphée*.
— Cocteau s'essaie à la peinture au chevalet.

1951
— Il est élu président du Syndicat des auteurs et compositeurs de musique.
— Voyage en Italie avec Francine Weisweiller et Édouard Dermit. En Sicile, ils dorment dans la même pièce.
— À partir du 16 juillet, il commence le premier feuillet du *Passé défini*, journal.
— En août, croisière à bord de l'*Orphée II*, yacht de Francine Weisweiller.

— Il crée une pièce Renaissance, *Bacchus*, dont il signe les décors, les costumes et la mise en scène.

— Tourne un film en 16 mm : *La Villa Santo Sospir*.

— Première de *Bacchus* au théâtre Marigny, alors dirigé par Madeleine Renaud et Jean-Louis Barrault. La pièce fait scandale et crée une controverse avec Mauriac.

— Le 29 décembre, dans *Le Figaro* littéraire, publication de la *Lettre à Jean Cocteau* par François Mauriac.

— Le 30, dans *France-Soir*, Cocteau réplique par une *Lettre ouverte à François Mauriac*. « Je t'accuse ! » La polémique fait les choux gras de la presse.

1952

— À la villa Santo Sospir, malgré une grande fatigue, Cocteau écrit le *Journal d'un inconnu*, et prépare son nouveau ballet : *La Dame à la Licorne* qui doit être créé en Allemagne.

— Voyage en Grèce et croisière sur l'*Orphée II*.

— Parution du *Chiffre sept*, poème pour Pierre Seghers.

— S'intéresse de plus en plus aux « soucoupes volantes », ainsi qu'aux idées de René Bertrand, dont il préface *Sagesse et Chimère*s.

— À l'automne, visite l'Allemagne ; voyage à Düsseldorf (pour *Bacchus*) et visite à Arno Breker.

1953

— Le 9 février, une exposition Cocteau inaugure la galerie des Ponchettes à Nice sur la promenade des Anglais.

— Tournée de conférences en Italie : Turin, Gênes, Milan, Rome. Il enthousiasme ses auditeurs.

— Cocteau est président du jury au festival de Cannes. Il fait l'unanimité.

— Création à Munich du ballet *La Dame à la licorne*, sur une musique de Jacques Chailley. Il en a signé le décor et les costumes.

— Premier voyage en Espagne : Barcelone, Madrid, Tolède, Malaga, Grenade, Gibraltar, Séville. Gitanes et toreros le ravissent.

— Chez Seghers, paraît un court poème : *Dentelle d'éternité*, puis en novembre, les poèmes en prose d'*Appogiatures*.

1954

— En février-mars, il séjourne à la montagne, à Kitzbühel

— Préside à nouveau le festival de Cannes.

— Infarctus du myocarde. Cocteau sera cloué au lit trois semaines.

— Passe sa convalescence à Santo Sospir. S'initie à la technique du pastel.

— Parution de *Clair-Obscur* (poèmes).

— Jean Cocteau devient seul propriétaire de la maison du bailli à Milly-la-Forêt, car Marais a souhaité sortir de l'indivision.

1955

— Cocteau entre à l'Académie française et à l'Académie royale de Belgique.

— Devient Citoyen d'honneur de Milly-la-Forêt.

— Au printemps, à Rome, son exposition de pastels est un succès.

— Il passe l'été à Saint-Moritz et à la villa Santo Sospir.

— Il prononce l'« Adieu à Honegger » au Père-Lachaise.

1956

— Accepte que la Comédie-Française remonte *La Machine à écrire*, mais dans la version de 1942, jamais jouée.

— Entreprend à Villefranche-sur-Mer la décoration murale de la chapelle Saint-Pierre et les fresques de la mairie de Menton.

— En avril, il compose un texte en alexandrins en l'honneur du mariage de Rainier III et de Grace Kelly, qui sera finalement déprogrammé. Cocteau en sera vexé !

— Après Gide et Mauriac, il est promu Dr honoris causa par l'Université d'Oxford, le 12 juin.

— Il se rend à Baalbek en juillet, pour *La Machine infernale*, avec Jeanne Moreau et Jean Maurais.

1957

— Il termine les fresques de la chapelle Saint-Pierre à Villefranche-sur-Mer. Il a « tatoué » les murs.

— Publication des *Entretiens sur le musée de Dresde* avec Aragon.

— Cocteau est nommé membre honoraire du National Institute of Arts and Letters of New York.

— Dans le courant de l'année, il s'initie à la céramique, avec l'aide de Madeline-Jolly à Villefranche-sur-Mer.

— Il termine la décoration de la salle des mariages de la mairie de Menton.

— Exposition à la galerie Matarasso à Nice.

— Est fait Citoyen d'honneur de Villefranche-sur-Mer.

1958

— Sa sœur Marthe meurt le 13 janvier.

— Parution des *Paraprosodies précédées de 7 dialogues*.

— Première exposition de poteries au tribunal de pêche de Villefranche-sur-Mer, en juillet.

— En novembre, à Paris, inauguration d'une exposition de céramiques à la galerie Lucie Weill.

— Jean Cocteau joue le rôle du chœur dans *Œdipus Rex*, dirigé par Herbert von Karajan.

— En septembre, il se rend à l'exposition de Bruxelles, où il prononce devant la reine Élisabeth de Belgique deux discours : *Discours sur la poésie* et *Les Armes secrètes de la France*.

— Il crée, dans l'atelier de Madeline-Jolly, une crèche en plâtre et terre cuite, exposée à Nice.

1959

— Parution du premier tome de *Poésie critique* et *Gondole des morts*, album comprenant deux poèmes, et illustré de 17 dessins.

— Cocteau, victime d'une hémoptysie, écrit à la villa Santo Sospir, ce qui sera considéré comme son testament poétique, *Le Requiem*.

— Création de maquettes pour la décoration de Notre-Dame-de-France à Londres, les mosaïques du théâtre du Cap d'Ail et la chapelle Saint-Blaise de Milly-la-Forêt.

— Il fête son 70e anniversaire, le 5 juillet, aux arènes d'Arles.

— À l'automne, tournage de son dernier film, *Le Testament d'Orphée*, à Nice et à Paris.

— À Londres, Jean Cocteau reprend le rôle du récitant dans *Œdipus Rex* dirigé par Igor Stravinski. Grand succès au Festival Hall.

1960

— Parution du second tome de *Poésie critique*.

— Élu « Prince des poètes » à l'automne.

— Séjour en Andalousie, il prononce un discours à l'Université de Cadix. Il va écrire un poème, *Le Cérémonial espagnol du Phénix*, qui sera suivi par *La Partie d'échecs*.

— Première de *Cher menteur,* pièce de Jérôme Kilty, que Jean Cocteau a adaptée pour le théâtre. Marais la jouera trente ans plus tard.

1961

— Jean Delannoy réalise *La Princesse de Clèves*, sur un scénario écrit par Jean Cocteau en 1944 avec Jean Marais et Marina Vlady.

— Cocteau débute la série des *Innamorati*, dessins aux crayons de couleur.

— En mars, il reçoit la cravate de commandeur de la Légion d'honneur.

— En été, il fait deux séjours à Marbella. Il écrit *Cordon ombilical*.

— Mort de Paul Cocteau, son frère, le 3 décembre.

1962

— En mars, Cocteau supervise les répétitions de *L'Impromptu du Palais-Royal*, que la Comédie-Française crée en mai, à Tokyo.

— Publication de *Requiem* et de *Cordon ombilical*.

— Cocteau passe son dernier été à Santo Sospir, et malgré des ennuis de santé, il déborde toujours d'activités parmi lesquelles, entre autres, un panneau peint avec Moretti aux studios de la Victorine à Nice, *L'Âge du Verseau*, une mosaïque de galets à Menton, l'achèvement du théâtre de plein air à

Cap d'Ail ; à Fréjus, il doit concevoir une nouvelle chapelle dédiée à Notre-Dame-de-Jérusalem, dont Dermit achèvera la décoration. Il entame également à Radio Monte-Carlo des entretiens avec Pierre Brive, achevés en 1963 et toujours inédits, enregistre un Message pour l'an 2000...

— Cocteau passe un Noël solitaire à Santo Sospir, qui entérine la brouille avec Francine Weisweiller : depuis un an, elle s'est entichée d'un écrivain mineur.

1963

— Il pose pour Arno Breker, qui entreprend son buste qui est désormais à la chapelle Saint-Blaise.

— Prépare son déménagement de Santo Sospir, qu'il quitte définitivement en mars.

— Portrait-souvenir avec Roger Stéphane, pour la télévision qui sera diffusé en janvier 1964.

— Le 22 avril, il fait une nouvelle crise cardiaque. Au sortir de son hospitalisation, il va en convalescence chez Marais, à Marnes-la-Coquette.

— Retour à Milly, le 5 juillet, le jour de ses soixante-quatorze ans.

— Le 11 octobre, à midi, il apprend par téléphone la mort d'Édith Piaf. Il se sent mal et meurt une heure plus tard, entouré d'Édouard Dermit et de son médecin. Il sera inhumé le 16, derrière la chapelle Saint-Blaise à Milly-la-Forêt.

— Son cercueil sera transféré six mois plus tard à l'intérieur de la chapelle Saint-Blaise. « Je reste avec vous » est gravé sur la dalle funéraire en pierre.

Chronologie de Jean Marais
en relation avec Jean Cocteau

1913
— Naissance de Jean Marais le 11 décembre, à Cherbourg.

1937
— Échoue au concours d'entrée au Conservatoire et fait de la figuration chez Charles Dullin.
— Pièce *Œdipe-roi* au théâtre Antoine, mise en scène de Jean Cocteau.
— Pièce *Les Chevaliers de la Table ronde* au théâtre de l'Oeuvre, mise en scène de Jean Cocteau.

1938
— Pièce *Les Parents terribles* au théâtre des Ambassadeurs, mise en scène d'Alice Cocéa.

1939
— Reprise de *Les Parents terribles* aux Bouffes-Parisiens.

1941
— Pièce *La Machine à écrire* au théâtre Hébertot, mise en scène de Raymond Rouleau.

1943
— Film *L'Éternel Retour* de Jean Delannoy.

1945

— Film *La Belle et la Bête* de Jean Cocteau.

1946

— Reprise de *Les Parents terribles* au théâtre du Gymnase, mise en scène de Jean Cocteau.
— Tournée en Belgique de la pièce *Renaud et Armide*, mise en scène de Jean Cocteau.

1946-1947

— Pièce *L'Aigle à deux têtes* à Bruxelles puis au théâtre Hébertot, mise en scène de Jean Cocteau.

1947

— Film *Ruy-Blas* de Pierre Billon.
— Film *L'Aigle à deux têtes* de Jean Cocteau.

1948

— Film *Les Parents terribles* de Jean Cocteau.

1949

— Tournée théâtrale au Moyen-Orient de *La Machine infernale* et *Les Parents terribles*.
— Film *Orphée* de Jean Cocteau.

1953

— Pièce *La Machine infernale* à Lyon puis en tournée, mise en scène de Jean Cocteau.

1954

— Pièce *La Machine infernale* aux Bouffes-Parisiens.

1958

— Pièce *Oedipe-roi* à l'Alliance française.

1959

— Film *Le Testament d'Orphée* de Jean Cocteau.

1961
— Film *La Princesse de Clèves* de Jean Delannoy.

1962-1963
— Pièce *Œdipe-roi* au festival de Fourvière puis au théâtre des Célestins à Lyon.

1964
— Pièce *Les Parents terribles* à Bruxelles.

1965
— Narrateur du film *Thomas l'imposteur* de Georges Franju.

1967
— Hommage à Jean Cocteau pour les Rencontres du Palais-Royal.
— Téléfilm *Renaud et Armide*, réalisé par Marcel Cravenne pour la deuxième chaîne de télévision française.

1967-1968
— Pièce *Le Disciple du diable* au théâtre de Paris.

1969
— Reprise de la pièce *Œdipe-roi* à l'Alliance française.

1971
— Spectacle *Cocteau l'Enchanteur* au théâtre du Palais-Royal.

1972-1973
— Spectacle *L'Ange Heurteubise* de Maurice Béjart au Cirque royal de Bruxelles.
1974
— Réalise pour la télévision *La Voix humaine* et *Le Bel Indifférent*.

1975

— Publie ses mémoires sous le titre *Histoire de ma vie*, chez Albin Michel.

1977

— Joue et met en scène *Les Parents terribles* au théâtre Antoine.

1980

— Joue pour la télévision *Les Parents terribles*, réalisé par Yves-André Hubert.

1980-1981

— Pièce *Cher Menteur* au théâtre de l'Athénée.

1983

— À la télévision, *Le Grand Échiquier* spécial Cocteau de Jacques Chancel.

1983-1984

— Montage de textes *Cocteau-Marais* au théâtre de l'Atelier, puis en tournée.

1986

— Joue et met en scène *La Machine infernale* à l'Espace Cardin.

1987

— Joue et met en scène *Bacchus* aux Bouffes-Parisiens puis en tournée.
— Publie *Lettres à Jean Marais* de Jean Cocteau chez Albin Michel.

1993

— Pièce *Les Monstres sacrés* aux Bouffes-Parisiens, mise en scène de Raymond Gérôme.

— Publie *L'inconcevable Jean Cocteau* aux éditions du Rocher.

1994

— Pièce *Les Chevaliers de la Table ronde* en tournée pour les Galas Karsenty.

1998

— Mort de Jean Marais le 8 novembre à Cannes. Il est enterré à Vallauris où il s'était retiré pour pratiquer la poterie et la sculpture.

Bibliographie

ARNAUD (Claude), *Jean Cocteau*, Gallimard.

COCTEAU (Jean), *La Belle et la Bête*, Éditions du Rocher.

COCTEAU (Jean), *Lettres à Jean Marais*, Albin Michel.

COCTEAU (Jean), *Jean Marais*, Calmann-Lévy.

COCTEAU (Jean), *Journal 1942-1945*, Gallimard.

DURIEUX (Gilles), *Jean Marais*, Flammarion.

GIDEL (Henri), *Cocteau*, Flammarion.

JELOT-BLANC (Jean-Jacques), *Jean Marais*, Éd. Anne Carrière.

KIHM (Jean-Jacques), SPRIGGE (Elizabeth), BEHAR C. (Henri), *Jean Cocteau*, La Table Ronde.

LANGE (Monique), *Cocteau, Prince sans royaume*, Lattès.

LORD (James), *Des hommes remarquables*, Seguier

MARAIS (Jean), *Histoires de ma vie*, Albin Michel.

MARAIS (Jean), *L'Inconcevable Jean Cocteau*, Éditions du Rocher.

PASQUALI (Nini), *Jean Marais sans masque*, L'Archipel.

STEEGMULLER (Francis), *Cocteau*, Buchet-Chastel.

TOUZOT (Jean), *Jean Cocteau*, La Manufacture.

233

Touzot (Jean), *Jean Cocteau, le poète et ses doubles*, Bartillat.

Weissweiller (Carole), Renaudot (Patrick), *Jean Marais, le bien-aimé*, Éditions du Rocher.

Dictionnaire *Le Robert des grands écrivains*, en langue française.

Le Magazine littéraire, septembre 2003.

Sites Internet :

http://leonicat.club.fr/cocteau/cocteau.htm/

www.jeancocteau.net/le site officiel de la fondation cocteau

www.alalettre.com/cocteau-bio.htm

Remerciements

L'auteur exprime sa gratitude envers Pierre Bergé pour l'avoir autorisé à citer plusieurs lettres et textes de Jean Cocteau.

Table

Introduction 9

1. Jeannot 11
2. Jean 31
3. Les Amants terribles 55
4. Drôle de guerre 71
5. Le Dernier Métro 85
6. L'Éternel Retour 105
7. Le Bel Indifférent 125
8. La Belle et la Bête 143
9. L'Aigle à deux têtes 163
10. Chambres séparées 185

Annexes
  Chronologie de Jean Cocteau 201
  Chronologie de Jean Marais en relation
    avec Jean Cocteau 227
  Bibliographie 233

  Remerciements 235

Du même auteur

ALBUMS

Nadar, Editions Encre.
Les Chirac : Un Album de Famille, Editions de l'Archipel.
Marilyn Monroe : de l'autre côté du miroir, Timée-
    Éditions.

BIOGRAPHIES

Grace, Librairie Académique Perrin.
Buckingham Story, Librairie Académique Perrin.
Les Dames de l'Élysée, Librairie Académique Perrin.
Les Monaco, Plon.
La Vie quotidienne à Buckingham Palace, Hachette.
Charles, portrait d'un prince, Hachette.
Juan Carlos, roi d'Espagne, Hachette (Prix des Trois-
    Couronnes).
La Princesse Margaret, Librairie Académique Perrin.
Caroline de Monaco, Librairie Académique Perrin.
Lady Mountbatten, Bartillat.
La Véritable Jackie Kennedy, Pygmalion.
Bernadette Chirac, Librairie Académique Perrin.
La Véritable Grace de Monaco, Pygmalion.
La Véritable Audrey Hepburn, Pygmalion.
La Véritable Margaret d'Angleterre, Pygmalion.
La Véritable Melina Mercouri, Pygmalion.
La Véritable Duchesse de Windsor, Pygmalion.
La Véritable Ingrid Bergman, Pygmalion.

La Véritable Princesse Soraya, Pygmalion.
Noureev, Editions Payot.
La Véritable Sophia Loren, Pygmalion.
La Véritable Marilyn Monroe, Pygmalion.
La Véritable Elizabeth Taylor, Pygmalion.
Juan Carlos et Sophie, Payot.
La Véritable Greta Garbo, Pygmalion.
John John Kennedy, Pygmalion.
James Dean, Payot.
La Véritable Gala Dali, Pygmalion.
La Véritable Diana, Pygmalion.
Sir Elton John, Payot.
La Véritable Maria Callas, Pygmalion.
Première Dame, Bartillat.
L'Impératrice indomptée, Pygmalion.
La Véritable Ava Gardner, Pygmalion.

Composition et mise en page

Achevé d'imprimer en août 2009
par Normandie Roto Impression s.a.s.
61250 Lonrai
N° d'impression : 092720
N° d'édition : L.01EUCNFD0901.N001
Dépôt légal : septembre 2009

Imprimé en France